登場人物紹介《とうじょうじんぶつしょうかい》

姉《あね》…及川《おいかわ》ナリコ

中学《ちゅうがく》2年生《ねんせい》。本《ほん》が大好《だいす》きで活動的《かつどうてき》な女《おんな》の子《こ》。夏休《なつやす》みの自由研究《じゆうけんきゅう》で弟《おとうと》のリョウとヤブシタ・アニメーション研究所《けんきゅうしょ》を訪《おとず》れている。ニックネームはオイナリ。おこると怖《こわ》い。

弟《おとうと》…及川《おいかわ》リョウ

小学《しょうがく》5年生《ねんせい》。元気《げんき》でサッカーが大好《だいす》きな男《おとこ》の子《こ》。
博士《はかせ》のくわしーい説明《せつめい》がつづいてちょっとたいくつ。
ナリコにおこられてもぜんぜんめげない。

ヤブシタ博士《はかせ》

白《しろ》いヒゲがトレードマークのアニメーション研究家《けんきゅうか》。
博士《はかせ》の研究所《けんきゅうしょ》はふしぎなものでいっぱい。
研究所《けんきゅうしょ》の地下《ちか》にはさらに大《おお》きなものが……。

タマコ

白《しろ》い毛並《けな》みにクロブチの日本《にほん》ネコ。
博士《はかせ》の助手《じょしゅ》の仕事《しごと》でちょっとお疲《つか》れ気味《ぎみ》。
一瞬寝《いっしゅんね》てもtwittamakoのミニ解説《かいせつ》はしっかりつづけている。

マンガで探検《たんけん》！
アニメーションのひみつ 3
ゾートロープをつくろう

監修《かんしゅう》　大塚《おおつか》 康生《やすお》
Director: OTSUKA Yasuo

編著《へんちょ》　叶《かのう》 精二《せいじ》
Author: KANOH Seiji

漫画《まんが》　田川《たがわ》 聡一《そういち》
Manga Artist: TAGAWA Soichi

ゾートロープ画《が》　わたなべさちよ・和田《わだ》 敏克《としかつ》・大塚《おおつか》 康生《やすお》
Animators: WATANABE Sachiyo, WADA Toshikatsu, OTSUKA Yasuo

もくじ

第《だい》4ステージ アニメーションの誕生《たんじょう》

いよいよスクリーンでいろいろな作品《さくひん》を上映《じょうえい》するぞ

助手《じょしゅ》もがんばるニャ

カラーの絵《え》だ！ちゃんと動《うご》いてる！
絵《え》がちょっとコワいかも？
人物《じんぶつ》がちょっと透《す》けて見《み》えるみたい……？
そう言《い》われれば…
背景《はいけい》は動《うご》いてないでしょ？
あ、そうか……でもあんまりおもしろくないや！
どうじゃった？19世紀末《せいきまつ》のアニメーションは
内容《ないよう》はなんと言《い》っていいのか……
う～ん…
どんなしくみで絵《え》が動《うご》いているのか知《し》りたいです！
そう来《く》ると思《おも》っとったゾ！裏《うら》へおいで
うわぁ！
これで裏《うら》から回《まわ》してたのか……まんなかのピカピカ光《ひか》ってるのはなに？
これはなんですか？映写機《えいしゃき》……？とは何《なに》かちがうみたい……

twittamako
『哀《あわ》れなピエロ』は、女《おんな》の人《ひと》にフラれるピエロと、それをからかう兵士《へいし》が登場《とうじょう》する作品《さくひん》だニャ

映写装置《えいしゃそうち》 テアトル・オプティーク（光学劇場《こうがくげきじょう》）

これは世界最古《せかいさいこ》の映写装置《えいしゃそうち》でアニメーションの原点《げんてん》と言《い》われる「テアトル・オプティーク（光学劇場《こうがくげきじょう》）」というものじゃ。
ちょっと複雑《ふくざつ》じゃが、しくみを解説《かいせつ》するぞ。

①背景投影器《はいけいとうえいき》❶で動《うご》かない背景画《はいけいが》をスクリーン（裏側《うらがわ》）❾に投影《とうえい》する。

②投光器《とうこうき》❷でフィルムに光《ひかり》をあて、中央部《ちゅうおうぶ》の回転《かいてん》ミラー❺に絵《え》を映《うつ》す。

③ハンドルを回《まわ》してフィルムロール（等間隔《とうかんかく》にフィルムが並《なら》んだ帯《おび》）❸を動《うご》かす。

④フィルム送《おく》りドラム❹の柵《さく》の突起《とっき》がフィルムロール❸の穴《あな》をひっかけてフィルムの回転《かいてん》を安定《あんてい》させ、同時《どうじ》に回転《かいてん》ミラー❺も回《まわ》す。

⑤回転《かいてん》する36枚《まい》のミラー❺にフィルムの絵《え》（動画《どうが》）が1枚《まい》ずつ映《うつ》し出《だ》される。

⑥映《うつ》った動画《どうが》を拡大《かくだい》レンズ❻で反射《はんしゃ》ミラー❼に投影《とうえい》する。

⑦反射《はんしゃ》ミラー❼が拡大《かくだい》ミラー❽に動画《どうが》を投影《とうえい》する。

⑧拡大《かくだい》ミラー❽がスクリーン（裏側《うらがわ》）❾に動画《どうが》を投影《とうえい》する。

⑨動《うご》かない背景画《はいけいが》と動画《どうが》がスクリーン上《じょう》でミックスされ、その映像《えいぞう》を表側《おもてがわ》から鑑賞《かんしょう》する。

twittamako
この装置《そうち》による上映《じょうえい》は大人気《だいにんき》で、客席《きゃくせき》がたりずにスクリーンの裏《うら》で見《み》ていたお客《きゃく》もいたそうだニャ

（※注《ちゅう》）「仮現運動《かげんうんどう》」は第《だい》２巻《かん》でくわしく説明《せつめい》しておるぞ

twittamako
動《うご》く人物《じんぶつ》と動《うご》かない背景《はいけい》を分《わ》ける考《かんが》え方《かた》は、その後《ご》のアニメーションに受《う》け継《つ》がれることになるのだニャ

映画《えいが》より古《ふる》かったアニメーションの元祖《がんそ》

「「プラクシノスコープ」は、ギリシャ語《ご》で「動《うご》きを観察《かんさつ》する道具《どうぐ》」という意味《いみ》じゃ。1877年《ねん》にフランスの理科《りか》の先生《せんせい》だったシャルル・エミール・レイノーが開発《かいはつ》したものじゃ。筒状《つつじょう》に並《なら》べた絵《え》を回《まわ》すことで動《うご》かすしくみはゾートロープと同《おな》じじゃが、角《かく》度《ど》を変《か》えた鏡《かがみ》に1枚《まい》ずつ映《うつ》し出《だ》すことで動《うご》いて見《み》えるところが大《おお》きなちがいじゃな。プラクシノスコープはパリの百貨店《ひゃっかてん》でたくさん売《う》れたそうじゃ」

「鏡《かがみ》を光《ひかり》で明《あか》るく照《て》らすことで、動《うご》きがよりはっきり見《み》えました」

「ぼくは、べつの板《いた》に舞台《ぶたい》の絵《え》があっていっしょに見《み》えるのがよかった」

「ふたりともいい感想《かんそう》じゃ。レイノーは、そのふたつの特徴《とくちょう》、「光《ひかり》で絵《え》を照《て》らし出《だ》す」「背景《はいけい》をべつに描《か》いて合成《ごうせい》させる」というしくみを、どんどん発展《はってん》させていったのじゃ。電球《でんきゅう》が普及《ふきゅう》しはじめると、絵《え》により強《つよ》い光《ひかり》をあてて反射《はんしゃ》させ、レンズで拡大《かくだい》して大《おお》きなスクリーンに映《うつ》すことを思《おも》いついた。絵《え》の数《かず》もそれを映《うつ》す鏡《かがみ》の枚数《まいすう》もグンと増《ふ》やして、機械《きかい》も大《おお》型《がた》にした。そして、1888年《ねん》に光学劇場《テアトル・オプティーク》の装置《そうち》を完成《かんせい》させたのじゃ」

「テアトル…なんとかって、さっき見《み》た、あのおっきい機械《きかい》のことでしょ」

「あれは私《わたし》たちがいま見《み》ている映画《えいが》と同《おな》じようなしくみだと考《かんが》えていいのでしょうか」

「テアトル・オプティークは、世界《せかい》で初《はじ》めてつくられた、スクリーンに動《うご》く絵《え》を上映《じょうえい》する装置《そうち》じゃった。「動《うご》く絵《え》」、つまりアニメーションの元祖《がんそ》というわけじゃな。レイノーは絵《え》も自分《じぶん》で描《か》いていたそうじゃから、アニメーターの元祖《がんそ》でもあったわけじゃ。じつは映画《えいが》が開発《かいはつ》されるのは、この数年後《すうねんご》なのじゃ」

「えーっ！」

「アニメのほうが映画《えいが》より早《はや》く生《う》まれたの？」

「テアトル・オプティークをより発展《はってん》させた形《かたち》が映画《えいが》の上映装置《じょうえいそうち》になっているのじゃ。だから「映《えい》画《が》のお兄《にい》さん・お姉《ねえ》さん」とでも言《い》うべきかのう」

「でも、テアトル・オプティークは「描《か》かれた絵《え》」の連続《れんぞく》ですが、映画《えいが》は現実《げんじつ》そのままですよね？ずいぶんちがうように感《かん》じてしまいます」

「1枚《まい》1枚《まい》が絵《え》なのか、写真《しゃしん》なのかのちがいはたしかに大《おお》きいんじゃが、動《うご》いて見《み》える原理《げんり》は同《おな》じなのじゃ。どちらも1枚《まい》ずつ画像《がぞう》を分《わ》けて映《うつ》すことで動《うご》きをつくり出《だ》していく…これをなんと言《い》うか覚《おぼ》えているかい？」

「うーん…なんだっけ…トンカツ運動《うんどう》？」

「カ・ン・ケ・ツ！　間欠運動《かんけつうんどう》でしょ！　あんたと同《おな》じ！　「間《ま》」が「欠《か》けている」運動《うんどう》！」

「マヌケってこと？　ひっでーなぁ」

「ははは。トンカツ運動《うんどう》はよかったなぁ。そろそろお腹《なか》がすいてきたのかな？」

「うーん。でも、もうちょっと見《み》てみたーい」

「絵《え》や写真《しゃしん》を動《うご》かすおもちゃ「視覚玩具《しかくがんぐ》」はほかにもあるぞ。こっちへ来《き》てごらん」

連続写真《れんぞくしゃしん》のパラパラマンガ

「わぁ…今度《こんど》のは本《ほん》みたいですね」

「ナリコ君《くん》が見《み》ている小《ちい》さな本《ほん》は「フリップブック」、つまりパラパラマンガじゃ。棒《ぼう》つきフレームでパラパラしやすくした装置《そうち》は「フィロスコープ」というものじゃ。めくって見《み》てごらん」

「はい。やってみます」

「こっちの箱《はこ》のようなものは手動《しゅどう》のパラパラマンガが再生機《さいせいき》「キノーラ」じゃ。なかにパラパラマンガが仕込《しこ》んであって、横《よこ》のハンドルを回《まわ》して上《うえ》からのぞくと動《うご》いて見《み》えるようになっておる。やってごらん」

「これを回《まわ》すのか…うわーっ、写真《しゃしん》の動物《どうぶつ》が生《い》きているみたいに見《み》える！　すっげーっ！」

「こっちも紙《かみ》をめくっているだけなのに、本物《ほんもの》の馬《うま》が走《はし》っているみたい！　ふしぎ！」

「中味《なかみ》はどちらもイギリスの写真家《しゃしんか》、エドワード・マイブリッジという人《ひと》が撮《と》った連続写真《れんぞくしゃしん》をまとめたものじゃ。プラクシノスコープが開発《かいはつ》されたのとほぼ同《おな》じ時期《じき》、1878年《ねん》にエドワード・マイブリッ

twittamako

マイブリッジは、コースを走《はし》る馬《うま》がピアノ線《せん》に触《ふ》れるとシャッターが作動《さどう》する装置《そうち》で撮影《さつえい》したそうだニャ

ジが世界《せかい》で初《はじ》めて馬《うま》の連続写真《れんぞくしゃしん》の撮影《さつえい》に成功《せいこう》したのじゃ。それまで走《はし》る動物《どうぶつ》の足《あし》がどう動《うご》くのか、人間《にんげん》の眼《め》でははっきりわからなかったのじゃが、動《うご》きに合《あ》わせて高速《こうそく》シャッターを切《き》る装置《そうち》ができたことで、動《うご》きを分割《ぶんかつ》してとらえた写真《しゃしん》ができた。それらの写真《しゃしん》をパラパラめくって再生《さいせい》すると…」

「あっ！　もしかすると、紙《かみ》をパラパラめくる「間《ま》」があることが、ゾートロープのスリットの代《か》わりになるんじゃないかしら……」

「そうじゃ！　紙《かみ》をめくる時間差《じかんさ》が写真《しゃしん》を「間欠運動《かんけつうんどう》」にするんじゃ！」

「また、カンケツ運動《うんどう》！」

「このパラパラマンガの1枚《まい》1枚《まい》が絵《え》でも写真《しゃしん》でも、動《うご》く原理《げんり》は同《おな》じじゃ。現実《げんじつ》をカメラという機《き》械《かい》で、そのまま分割《ぶんかつ》して切《き》りとった写真《しゃしん》を再生《さいせい》するという思《おも》いつきが、映画《えいが》の発明《はつめい》につながっていくのじゃ。分割《ぶんかつ》した絵《え》を間欠運動《かんけつうんどう》で動《うご》かして見《み》せる視《し》覚玩具《かくがんぐ》は、そうした発明《はつめい》の源流《げんりゅう》というわけじゃ」

「ということは……「絵《え》を動《うご》かしたい」という考《かんが》え方《かた》がすべてのはじまりだったんですね…。絵《え》でも写真《しゃしん》でも基本《きほん》のしくみは同《おな》じ…」

「わしは、すべての映像《えいぞう》のおおもとは「アニメーション」――つまり絵《え》に生命《せいめい》を与《あた》えたいという大昔《おおむかし》からの願《ねが》いじゃったと思《おも》うとるんじゃ」

「すべてはアニメーションから……。私《わたし》もそんな気《き》がします」

リョウ君《くん》がのぞいているのは手動《しゅどう》で再生《さいせい》するキノーラという装置《そうち》じゃ。
フリップブック（パラパラマンガ）はすべてのアニメーションの基本《きほん》じゃよ。
フリップブック
キノーラ
FILOSCOPE
フィロスコープ

twittamako
キノーラは、自分《じぶん》でハンドルを回《まわ》して上《うえ》からのぞいて見《み》るパラパラマンガ再生機《さいせいき》だニャ

「このパラパラマシーン、回《まわ》す速度《そくど》を変《か》えるとおもしろい！　今度《こんど》は逆回転《ぎゃくかいてん》してみようっと！」

「あんた博士《はかせ》のお話《はなし》、ちゃんと聞《き》いている？」

「そりゃあもう、聞《き》いてますとも」

たくさんの絵《え》を動《うご》かすにはどうするか

「レイノーのテアトル・オプティークには、ほかにも画期的《かっきてき》な特徴《とくちょう》があった。なんじゃと思《おも》う？」

「うーん……機械《きかい》がでっかいこと？」

「カラーの絵《え》でつづったお話《はなし》になっていたから、えーと…とてもたくさんの絵《え》を描《か》いたということでしょうか？」

「どちらも大正解《だいせいかい》。ゾートロープやプラクシノスコープの動《うご》く絵《え》は12枚《まい》くらいが限界《げんかい》じゃった。これでは上映《じょうえい》しても数秒《すうびょう》にしかならないはずじゃ。テアトル・オプティークでは、ひとつの作品《さくひん》に約《やく》600枚《まい》もの動《うご》く絵《え》（動画《どうが》）が使《つか》われていたそうじゃ。ゼラチンでできたフィルム1枚《まい》1枚《まい》に人物《じんぶつ》を描《か》いて色《いろ》を塗《ぬ》り、背景《はいけい》は黒《くろ》く塗《ぬ》る。そのフィルムを革《かわ》のバンドにはめ込《こ》んで薄《うす》い金属板《きんぞくばん》で等間隔《とうかんかく》につないだフィルムロールが使《つか》われておった（→4ページ❸）。フィルムロールを回《まわ》しながら1コマずつ光《ひかり》をあてて動画《どうが》を鏡《かがみ》に映《うつ》し、それを反射《はんしゃ》させてスクリーンに大《おお》きく映《うつ》し出《だ》すという構造《こうぞう》になっておる。動画《どうが》の背景《はいけい》は黒《くろ》いので人物《じんぶつ》だけが浮《う》き上《あ》がって見《み》える。そこにべつの装置《そうち》で背《はい》景《けい》が映《うつ》し出《だ》されて、スクリーンの上《うえ》で人物《じんぶつ》と背《はい》景《けい》が合成《ごうせい》されるというしくみじゃ。レイノーは自《みずか》ら手回《てまわ》しで再生《さいせい》したり逆回転《ぎゃくかいてん》したり、回《まわ》す速《はや》さを変《か》えたりと、複雑《ふくざつ》な操作《そうさ》を行《おこな》い、台詞《せりふ》やナレーション、ピアノの生演奏《なまえんそう》なども入《い》れて、10分《ぷん》から15分間《ふんかん》という長《なが》い時間《じかん》の作品《さくひん》を上映《じょうえい》することに成功《せいこう》したのじゃ。ただし、平均《へいきん》すると1秒《びょう》に1枚《まい》か2枚《まい》の絵《え》じゃから、動《うご》きはなめらかとは言《い》えないものじゃ」

「たしかに動《うご》きは、ぎこちなく感《かん》じました。フィルムがきちんと流《なが》れないで絵《え》と絵《え》の間《あいだ》で止《と》まってしまったりすることはなかったのですか？」

「もちろんあったと思《おも》うが、ここを見《み》てごらん。フィルムとフィルムの間《あいだ》の金属板《きんぞくばん》に丸《まる》い穴《あな》があいているじゃろう？　ただフィルムを流《なが》すのでなく、1枚《まい》ずつちょうどいい場所《ばしょ》で止《と》まるように穴《あな》をあけたんじゃ。ゾートロープのような紙《かみ》のループだと、穴《あな》をあけると強度《きょうど》が保《たも》てないし、光《ひかり》も通《とお》しにくい。そこで、穴《あな》をあけても強度《きょうど》が保《たも》たれる金属板《きんぞくばん》と革《かわ》、光《ひかり》を通《とお》すことができる透明《とうめい》のゼラチンを使《つか》ってフィルムロールをつくったわけじゃ。その後《ご》の写真《しゃしん》や映画《えいが》フィルムの原形《げんけい》じゃな。それから、この装置《そうち》の中心部《ちゅうしんぶ》は大型《おおがた》のプラクシノスコープじゃから、鏡《かがみ》に映《うつ》すことで絵《え》がいったん止《と》まって見《み》える。つぎの絵《え》との間《あいだ》の間《かん》欠運動《けつうんどう》が発生《はっせい》し、仮現運動《かげんうんどう》となるしくみじゃ。おそらく、鏡《かがみ》の角度《かくど》や枚数《まいすう》などを何度《なんど》も調整《ちょうせい》して改良《かいりょう》を重《かさ》ねたことじゃろう……」

「また出《で》た！　カンケツ運動《うんどう》！」

「間欠運動《かんけつうんどう》はこれから先《さき》も大事《だいじ》なキーワードじゃ。それから、この頃《ころ》の写真《しゃしん》はすべて白黒《しろくろ》で、カラーになるのはずっとずっと先《さき》なのじゃ。だから当《とう》時《じ》の人《ひと》びとはこのカラーの映像《えいぞう》にたいへんおどろいたと思《おも》うぞ。1892年《ねん》の初上映《はつじょうえい》から1900年頃《ねんころ》までに約《やく》50万人《まんにん》が鑑賞《かんしょう》し喝采《かっさい》を送《おく》ったそうじゃ」

「レイノーは、その間《あいだ》ずーっとひとりで上映《じょうえい》をつづけていたんですね」

「当時《とうじ》は世界中《せかいじゅう》でつぎつぎと画期的《かっきてき》な発明《はつめい》が生《う》まれたのじゃ。加工《かこう》しやすい柔《やわ》らかさと丈夫《じょうぶ》さを兼《か》ね備《そな》えた透明《とうめい》な人工樹脂《じんこうじゅし》、セルロイドが開発《かいはつ》されると、エジソンやジョージ・イーストマン（イーストマン・コダック社《しゃ》を創設《そうせつ》）も、セルロイドを使《つか》ったフィルムの実用化《じつようか》を目《め》ざした。1888年《ねん》、イーストマンはボタンを押《お》すだけで写真《しゃしん》が撮《と》れるコダック・カメラを発《はつ》売《ばい》すると、そのフィルムもすぐにセルロイドにしたのじゃ。こうして、写真機《しゃしんき》は一般《いっぱん》の人《ひと》びとにも広《ひろ》がり、映画《えいが》の撮影《さつえい》・上映《じょうえい》にもフィルムが使《つか》われるようになったというわけじゃ。レイノーはゼラチンのフィルムに1枚《まい》1枚《まい》絵《え》を描《か》いておったが、「映画《えいが》」が誕生《たんじょう》すると、アニメーションも実写映画《じっしゃえいが》と同《おな》じようにカメラで1枚《まい》ずつ画像《がぞう》を撮影《さつえい》してセルロイドのフィルムに焼《や》きつけ、それを映写機《えいしゃき》で上映《じょうえい》するという形式《けいしき》が基《き》本《ほん》となっていったのじゃ」

twittamako

セルロイドはその後《ご》、アニメーションの発展《はってん》にも大《おお》きな役割《やくわり》を果《は》たすことになるのだニャー

twittamako

フィルムに写《うつ》ったひとつひとつの絵《え》や写真《しゃしん》は「1枚《いちまい》」ではなく「1《ひと》コマ」と数《かぞ》えるのだニャー

映画《えいが》を発明《はつめい》したのは誰《だれ》？

「このキネトスコープ（→9ページ）は、一見《いっけん》家具《かぐ》のような形《かたち》じゃが、世界初《せかいはつ》のフィルムロールを使《つか》った連続写真《れんぞくしゃしん》の再生機《さいせいき》なのじゃ。この機械《きかい》では、1秒間《びょうかん》に約《やく》48枚《まい》の写真《しゃしん》が流《なが》され、回転《かいてん》する円形《えんけい》シャッターのスリットを通《とお》して1枚《まい》ずつ分《わ》けて見《み》せるしくみじゃ。つまり、アイカップの真下《ました》でゾートロープと同《おな》じ原理《げんり》の間欠運動《かんけつうんどう》を起《お》こすことで、動《うご》きがつながって見《み》えることになっておる。

トーマス・エジソンとその弟子《でし》たちが蓄音機《ちくおんき》や白熱電球《はくねつでんきゅう》と並《なら》んで、開発《かいはつ》に力《ちから》を注《そそ》いだのが映画《えいが》じゃった。エジソンたちは、まず高速《こうそく》シャッターでフィルムに写真《しゃしん》を焼《や》きつける映像撮影機《えいぞうさつえいき》「キネトグラフ」を開発《かいはつ》。つづいて1891年《ねん》に同《おな》じ原理《げんり》を再生《さいせい》に転用《てんよう》したキネトスコープを開発《かいはつ》したのじゃ。キネトスコープは絵《え》ではなく写真《しゃしん》が動《うご》く。白黒《しろくろ》ではあったが、現実《げんじつ》そのままの動《うご》きが再現《さいげん》されるのじゃから、じつに画期的《かっきてき》な発明《はつめい》じゃった。発売《はつばい》されるやいなや飲食店《いんしょくてん》などに飛《と》ぶように売《う》れ、アメリカ全土《ぜんど》に「キネトスコープ・パーラー」と呼《よ》ばれる店《みせ》がたくさんできたそうじゃ。店内《てんない》にはキネトスコープがズラリと並《なら》び、コインを投入《とうにゅう》すると数分間《すうふんかん》の映《えい》像《ぞう》を観《み》ることができた。これを観《み》るために長《なが》い人《ひと》の列《れつ》ができたそうじゃ。たとえるなら、いまの大人気《だいにんき》コインゲームのような感《かん》じじゃったと思《おも》う」

「へぇーっ、これがゲームセンターの人気《にんき》ゲームみたいなもんだったのか…」

「レイノーのテアトル・オプティークと、エジソンのキネトスコープは同時代《どうじだい》のものですよね。どちらのほうが人気《にんき》があったのですか？」

「テアトル・オプティークは装置《そうち》が大《おお》きく複雑《ふくざつ》で、レイノー本人《ほんにん》にしか動《うご》かせなかったのじゃ。当然《とうぜん》じゃが映写設備《えいしゃせつび》の量産《りょうさん》ができず、手《て》描《が》きのフィルムもコピーできないので販売《はんばい》もできず…見世物《みせもの》という扱《あつか》いから抜《ぬ》け出《だ》せないまま、しだいに廃《すた》れてしまったのじゃ。これにくらべて、キネトスコープはフィルムを送《おく》り出《だ》すモーターを動《うご》かす電気《でんき》さえあれば、誰《だれ》でもどこでもかんたんに観《み》ることができた。1893年《ねん》にシカゴで開催《かいさい》された万国博覧会《ばんこくはくらんかい》で好評《こうひょう》を博《はく》し、瞬《また》く間《ま》にヨーロッパにも普及《ふきゅう》したそうじゃ。

エジソンは、いまのパソコンやテレビ、ビデオのように最終的《さいしゅうてき》には各家庭《かくかてい》にキネトグラフを普及《ふきゅう》させようと考《かんが》えていたのかもしれん。しかし、キネトスコープが家庭《かてい》にまで普及《ふきゅう》することはなかった。1900年代《ねんだい》になると、キネトスコープの売《う》り上《あ》げは、みるみる落《お》ち込《こ》んでいったのじゃ」

「えーっ、どうして?!」

「「映画《えいが》」が発明《はつめい》されたからじゃよ。キネトスコープはひとりずつしか観《み》ることができない上《うえ》に、小《ちい》さい画面《がめん》をのぞき込むしくみじゃったから、長時間見《ちょうじかんみ》つづけるのはむずかしいという問題《もんだい》があったのじゃ。同《おな》じ頃《ころ》に、大《おお》きなスクリーンに拡大《かくだい》して投影《とうえい》するシステムを開発《かいはつ》した人《ひと》たちがおった。それが、フランスのリュミエール兄弟《きょうだい》じゃ。

1895年《ねん》、リュミエール兄弟《きょうだい》は、エジソンと同《おな》じように長《なが》いロールフィルムを送《おく》り出《だ》すシステムをつくり、それを高速《こうそく》シャッターで1コマずつ光《ひかり》をあてて、レンズでスクリーンに拡大《かくだい》して映《うつ》し出《だ》す「シネマトグラフ」という上映装置《じょうえいそうち》を開発《かいはつ》した。1秒《びょう》に16コマの写真《しゃしん》が映写《えいしゃ》され、人《ひと》びとは本物《ほんもの》の風景《ふうけい》と思《おも》い込《こ》むほど衝撃《しょうげき》を受《う》けたと言《い》われておる。これが現在《げんざい》「映画《えいが》」と呼《よ》ばれるものの原形《げんけい》となったのじゃ」

「ふぁぁ…ようやく映画《えいが》にたどりついたぁ…むずかしくって…眠《ねむ》くなっちゃっ…たぁ」

「あんた、あくびばっかりしてっ！　失礼《しつれい》よっ！」

「う、うん…」

「よっこらせっと。これがそのシネマトグラフじゃ。さぁ、上映《じょうえい》するぞっ！」

「はいっ！」

twittamako
これでやっと映画《えいが》にたどりついたニャ…ふぁあ…リョウ君《くん》のあくびがうつったニャー

リュミエール兄弟《きょうだい》『ラ・シオタ駅《えき》への列車《れっしゃ》の到着《とうちゃく》』(1896年《ねん》)

初《はじ》めてこの映画《えいが》を見《み》た人《ひと》びとは、本物《ほんもの》の機関車《きかんしゃ》が迫《せま》ってくるように感《かん》じて、かなり驚《おど》いたと言《い》われておる
やっぱり後《うし》ろから映写《えいしゃ》されたほうが安心《あんしん》します
ハハハ ようやくいまの映画《えいが》の形《かたち》に近《ちか》くなったからのう
ええ!?
ちょっと! なに寝《ね》てんのよリョウこら!
まぁまぁ
よほどつかれたんじゃろう
寝《ね》かせておいてあげなさい
あ……タマコまで!?
Zzz
弟《おとうと》がご迷惑《めいわく》をおかけしてすみません……
そんなことは気《き》にしなくていいんじゃよ
リョウ君《くん》だってがんばってたんだからタマコもな!

リョウ君《くん》ばかりかタマコまで寝《ね》てしまったので、ここからはわしがつづきを解説《かいせつ》するとしよう
映画《えいが》にお客《きゃく》を奪《うば》われたレイノーはテアトル・オプティークの機械《きかい》をパリのセーヌ川《がわ》に捨《す》ててしまったと言《い》われておるぞ

エジソンとリュミエール兄弟《きょうだい》の開発競争《かいはつきょうそう》

「映画《えいが》の発明《はつめい》にはいろいろな人《ひと》が関《かか》わっていたんですね。テレビの番組《ばんぐみ》で「エジソンが映画《えいが》を発明《はつめい》した」と言《い》っていたのを見《み》たことがあったのですが、リュミエール兄弟《きょうだい》の名前《なまえ》は知《し》りませんでした」

「たしかに、エジソンのキネトスコープが映画《えいが》の原《げん》形《けい》じゃと言《い》う人《ひと》もおる。しかし、大《おお》きなスクリーンを大勢《おおぜい》で観《み》る——という肝心《かんじん》の点《てん》ではリュミエール兄弟《きょうだい》が先《さき》に発明《はつめい》したと言《い》えるのじゃ。シネマトグラフは、レイノーのテアトル・オプティークとエジソンのキネトスコープを合《あ》わせた装置《そうち》と言《い》ってもいいかもしれん。もともと、リュミエール兄弟《きょうだい》の父親《ちちおや》がパリでキネトスコープを見《み》て、兄弟《きょうだい》にその改良《かいりょう》の研究《けんきゅう》を勧《すす》めたのが発《はつ》明《めい》のきっかけだったとも言《い》われておる。おそらく、そうとうにエジソンを意識《いしき》していたはずじゃ。エジソンは撮影《さつえい》と映写《えいしゃ》をキネトグラフとキネトスコープに分《わ》けて開発《かいはつ》したんじゃが、シネマトグラフでは上映《じょうえい》だけでなくフィルムの焼《や》きつけも行《おこな》うことができた。つまり撮影《さつえい》・映写一体型《えいしゃいったいがた》に改良《かいりょう》したわけじゃ」

「急《きゅう》に追《お》いぬかれてしまったエジソンはショックだったんじゃないでしょうか」

「エジソンはキネトスコープ用《よう》にフィルムロールの作品撮影用《さくひんさつえいよう》スタジオまでつくって、本格的《ほんかくてき》な量産体《りょうさんたい》制《せい》を築《きず》いていたから、たいへんなショックだったと思《おも》うぞ。実際《じっさい》、エジソンはシネマトグラフからわずか2年後《ねんご》の1897年《ねん》に、キネトスコープ用《よう》のフィルムをスクリーンに映《うつ》す「ヴァイタスコープ」と名《な》づけた映写装《えいしゃそう》置《ち》を発表《はっぴょう》、販売《はんばい》を開始《かいし》したのじゃ」

「テアトル・オプティークが1888年《ねん》、キネトスコープが1891年《ねん》、シネマトグラフが1895年《ねん》、ヴァイタスコープが1897年《ねん》…、その間《あいだ》が10年《ねん》も経《た》っていないなんて！ まるで激《はげ》しい開発競争《かいはつきょうそう》みたいですね」

「まさしくそうじゃな。この時期《じき》にさまざまな試行錯誤《しこうさくご》がくりかえされて、映画《えいが》が一気《いっき》にかたちづくられていったのじゃ」

「でも、どうしてキネトスコープではなく、映画《えいが》のほうが広《ひろ》まったのでしょうか」

「エジソンは「ブラックマライア」という黒塗《くろぬ》りのスタジオを建《た》てて、そこで作品《さくひん》を撮影《さつえい》していたのじゃ。それは、ダンサーの踊《おど》りや手品師《てじなし》や大道芸人《だいどうげいにん》たちのショー、ボクシングの試合《しあい》などで、豪華《ごうか》な見《み》せ物《もの》のような娯楽作品《ごらくさくひん》じゃった。けれども、リュミエール兄弟《きょうだい》のシネマトグラフの多《おお》くは屋外《おくがい》で撮影《さつえい》されていて、列車《れっしゃ》の到着《とうちゃく》、工場《こうじょう》へ通勤《つうきん》する人《ひと》たち、あそぶ子《こ》どもたちといった「普通《ふつう》の人《ひと》びと」の暮《く》らしをそのまま記録《きろく》して見《み》せたのじゃ。当時《とうじ》の人《ひと》びとはスクリーンのなかに「自分《じぶん》たちと同《おな》じ生活《せいかつ》」が映《うつ》されていることに感動《かんどう》したんじゃないかと思《おも》う」

「とくべつな芸《げい》よりもふつうの日常《にちじょう》が映《うつ》っていることが好《この》まれたんでしょうか」

「映像《えいぞう》には、現実《げんじつ》そのままを記録《きろく》したニュースやドキュメンタリーと、それとはべつに架空《かくう》のお話《はなし》を見《み》せる劇映画《げきえいが》があるじゃろう？ この頃《ころ》はまだ、そういう区別《くべつ》もなく、物語《ものがたり》をおもしろく語《かた》って見《み》せる撮《さつ》影技術《えいぎじゅつ》も確立《かくりつ》されていなかったのじゃ」

「ひとりで見《み》るより大勢《おおぜい》の人《ひと》といっしょに観《み》るほうが楽《たの》しかったからなのかな…って思《おも》っていました」

「おおっ、それも大《おお》きな理由《りゆう》かもしれんな。アトラクションのような大《おお》がかりな娯楽《ごらく》のほうが、より大《たい》衆《しゅう》に求《もと》められていたものじゃったのではないか——とわしも思《おも》うとる。たとえば、遊園地《ゆうえんち》で大勢《おおぜい》が一度《いちど》に楽《たの》しむ乗《の》り物《もの》、メリーゴーラウンドやジェットコースターのような刺激的《しげきてき》な乗《の》り物《もの》が登場《とうじょう》したのも、この時代《じだい》なんじゃ。携帯《けいたい》ゲーム機《き》やスマートフォンのように個《こ》人《じん》で映像《えいぞう》を楽《たの》しむという考《かんが》え方《かた》は、まだ早《はや》すぎたのかもしれんのぅ」

フィルムの穴《あな》はなんのため？

「シネマトグラフのフィルムを送《おく》り出《だ》す装置《そうち》は、キネトスコープとよく似《に》ておるが、拡大《かくだい》レンズの前《まえ》で動《うご》きをつくり出《だ》すしくみがちがっていたのじゃ」

ジェットコースターは1884年《ねん》にアメリカのコニーアイランドに建設《けんせつ》された「ローラーコースター」が起源《きげん》とされておる
メリーゴーラウンドは1860年頃《ねんころ》にフランスで初《はじ》めて設置《せっち》され、すぐにヨーロッパ各地《かくち》やアメリカに広《ひろ》まったそうじゃ

リュミエール兄弟《きょうだい》『ラ・シオタ駅《えき》への列車《れっしゃ》の到着《とうちゃく》』（1896年《ねん》）

リョウ君《くん》ばかりかタマコまで寝《ね》てしまったので、ここからはわしがつづきを解説《かいせつ》するとしよう
映画《えいが》にお客《きゃく》を奪《うば》われたレイノーはテアトル・オプティークの機械《きかい》をパリのセーヌ川《がわ》に捨《す》ててしまったと言《い》われておるぞ

エジソンとリュミエール兄弟《きょうだい》の開発競争《かいはつきょうそう》

「映画《えいが》の発明《はつめい》にはいろいろな人《ひと》が関《かか》わっていたんですね。テレビの番組《ばんぐみ》で「エジソンが映画《えいが》を発明《はつめい》した」と言《い》っていたのを見《み》たことがあったのですが、リュミエール兄弟《きょうだい》の名前《なまえ》は知《し》りませんでした」

「たしかに、エジソンのキネトスコープが映画《えいが》の原形《げんけい》じゃと言《い》う人《ひと》もおる。しかし、大《おお》きなスクリーンを大勢《おおぜい》で観《み》る——という肝心《かんじん》の点《てん》ではリュミエール兄弟《きょうだい》が先《さき》に発明《はつめい》したと言《い》えるのじゃ。シネマトグラフは、レイノーのテアトル・オプティークとエジソンのキネトスコープを合《あ》わせた装置《そうち》と言《い》ってもいいかもしれん。もともと、リュミエール兄弟《きょうだい》の父親《ちちおや》がパリでキネトスコープを見《み》て、兄弟《きょうだい》にその改良《かいりょう》の研究《けんきゅう》を勧《すす》めたのが発《はっ》明《めい》のきっかけだったとも言《い》われておる。おそらく、そうとうにエジソンを意識《いしき》していたはずじゃ。エジソンは撮影《さつえい》と映写《えいしゃ》をキネトグラフとキネトスコープに分《わ》けて開発《かいはつ》したんじゃが、シネマトグラフでは上映《じょうえい》だけでなくフィルムの焼《や》きつけも行《おこな》うことができた。つまり撮影《さつえい》・映写一体型《えいしゃいったいがた》に改良《かいりょう》したわけじゃ」

「急《きゅう》に追《お》いぬかれてしまったエジソンはショックだったんじゃないでしょうか」

「エジソンはキネトスコープ用《よう》にフィルムロールの作品撮影用《さくひんさつえいよう》スタジオまでつくって、本格的《ほんかくてき》な量産体《りょうさんたい》制《せい》を築《きず》いていたから、たいへんなショックだったと思《おも》うぞ。実際《じっさい》、エジソンはシネマトグラフからわずか2年後《ねんご》の1897年《ねん》に、キネトスコープ用《よう》のフィルムをスクリーンに映《うつ》す「ヴァイタスコープ」と名《な》づけた映写装《えいしゃそう》置《ち》を発表《はっぴょう》、販売《はんばい》を開始《かいし》したのじゃ」

「テアトル・オプティークが1888年《ねん》、キネトスコープが1891年《ねん》、シネマトグラフが1895年《ねん》、ヴァイタスコープが1897年《ねん》…、その間《あいだ》が10年《ねん》も経《た》っていないなんて！　まるで激《はげ》しい開発競争《かいはつきょうそう》みたいですね」

「まさしくそうじゃな。この時期《じき》にさまざまな試行錯誤《しこうさくご》がくりかえされて、映画《えいが》が一気《いっき》にかたちづくられていったのじゃ」

「でも、どうしてキネトスコープではなく、映画《えいが》のほうが広《ひろ》まったのでしょうか」

「エジソンは「ブラックマライア」という黒塗《くろぬ》りのスタジオを建《た》てて、そこで作品《さくひん》を撮影《さつえい》していたのじゃ。それは、ダンサーの踊《おど》りや手品師《てじなし》や大道芸人《だいどうげいにん》たちのショー、ボクシングの試合《しあい》などで、豪華《ごうか》な見《み》せ物《もの》のような娯楽作品《ごらくさくひん》じゃった。けれども、リュミエール兄弟《きょうだい》のシネマトグラフの多《おお》くは屋外《おくがい》で撮影《さつえい》されていて、列車《れっしゃ》の到着《とうちゃく》、工場《こうじょう》へ通勤《つうきん》する人《ひと》たち、あそぶ子《こ》どもたちといった「普通《ふつう》の人《ひと》びと」の暮《く》らしをそのまま記録《きろく》して見《み》せたのじゃ。当時《とうじ》の人《ひと》びとはスクリーンのなかに「自分《じぶん》たちと同《おな》じ生活《せいかつ》」が映《うつ》されていることに感動《かんどう》したんじゃないかと思《おも》う」

「とくべつな芸《げい》よりもふつうの日常《にちじょう》が映《うつ》っていることが好《この》まれたんでしょうか」

「映像《えいぞう》には、現実《げんじつ》そのままを記録《きろく》したニュースやドキュメンタリーと、それとはべつに架空《かくう》のお話《はなし》を見《み》せる劇映画《げきえいが》があるじゃろう？　この頃《ころ》はまだ、そういう区別《くべつ》もなく、物語《ものがたり》をおもしろく語《かた》って見《み》せる撮《さつ》影技術《えいぎじゅつ》も確立《かくりつ》されていなかったのじゃ」

「ひとりで見《み》るより大勢《おおぜい》の人《ひと》といっしょに観《み》るほうが楽《たの》しかったからなのかな…って思《おも》っていました」

「おおっ、それも大《おお》きな理由《りゆう》かもしれんな。アトラクションのような大《おお》がかりな娯楽《ごらく》のほうが、より大《たい》衆《しゅう》に求《もと》められていたものじゃったのではないか——とわしも思《おも》うとる。たとえば、遊園地《ゆうえんち》で大勢《おおぜい》が一度《いちど》に楽《たの》しむ乗《の》り物《もの》、メリーゴーラウンドやジェットコースターのような刺激的《しげきてき》な乗《の》り物《もの》が登場《とうじょう》したのも、この時代《じだい》なんじゃ。携帯《けいたい》ゲーム機《き》やスマートフォンのように個《こ》人《じん》で映像《えいぞう》を楽《たの》しむという考《かんが》え方《かた》は、まだ早《はや》すぎたのかもしれんのぅ」

フィルムの穴《あな》はなんのため？

「シネマトグラフのフィルムを送《おく》り出《だ》す装置《そうち》は、キネトスコープとよく似《に》ておるが、拡大《かくだい》レンズの前《まえ》で動《うご》きをつくり出《だ》すしくみがちがっていたのじゃ」

ジェットコースターは1884年《ねん》にアメリカのコニーアイランドに建設《けんせつ》された「ローラーコースター」が起源《きげん》とされておる
メリーゴーラウンドは1860年頃《ねんころ》にフランスで初《はじ》めて設置《せっち》され、すぐにヨーロッパ各地《かくち》やアメリカに広《ひろ》まったそうじゃ

「それも、間欠運動《かんけつうんどう》のしくみなんですね」

「その通《とお》り。リュミエール兄弟《きょうだい》は、鏡《かがみ》やシャッターのようなもので画《え》と画《え》の間《あいだ》を欠《か》けさせるのでなく、レンズの直前《ちょくぜん》でフィルムをいったん止《と》め、そのフィルムをひっかけて送《おく》るしくみをつくったのじゃ。眼《め》にもとまらぬほど短《みじか》い時間《じかん》に、画《え》と画《え》の時間差《じかんさ》をつくり出《だ》しているというわけじゃ」

「止《と》めてから、ひっかけて送《おく》る…？」

「1秒間《びょうかん》に16回《かい》止《と》めて、1コマずつ正確《せいかく》にひっかけて送《おく》るのじゃ」

「1コマずつ止《と》めながら映写《えいしゃ》することで、間欠運《かんけつうん》動《どう》になっているんですね…」

「これがフィルムの実物《じつぶつ》じゃ。両端《りょうたん》をよく見《み》てごらん。画《え》の上下《じょうげ》に等間隔《とうかんかく》で穴《あな》があいているじゃろう」

「はい。四角《しかく》い穴《あな》がたくさんあいてます」

「画《え》が1枚《まい》ずつちょうどいい場所《ばしょ》で止《と》まるように穴《あな》をあけたんじゃ。通常《つうじょう》、映画《えいが》のフィルムの幅《はば》は35ミリと決《き》まっていて、縦横《たてよこ》の比率《ひりつ》は3対4、穴《あな》は1枚《まい》の画像《がぞう》につき両脇に4個ずつと決《き》まっておって、この穴《あな》のことを「パーフォレーション」と言《い》うんじゃよ」

「穴《あな》の数《かず》まで、ちゃんと決《き》まっているんですね」

「そうじゃ。正確《せいかく》に決《き》まっていないと、きちんと間欠運動《かんけつうんどう》ができないからじゃ。パーフォレーションを四《し》角形《かくけい》で4つずつあけることに決《き》めたのはエジソンなのじゃ。丸《まる》い穴《あな》だと欠《か》けやすく、フィルムがすぐにいたんでしまうことから、いろいろ実験《じっけん》した結果だったようじゃ。縦横比《たてよこひ》もエジソンの提案《ていあん》じゃ。それから現在《げんざい》にいたるまで、この形《かたち》が映画《えいが》フィルムの基本《きほん》とされてきたのじゃ」

「穴《あな》が丸《まる》じゃなくて四角《しかく》いことにも意味《いみ》があったんですね」

「もうひとつ大事《だいじ》なことがある。それはフィルムをきちんと送《おく》り出《だ》し、1コマずつ止《と》める装置《そうち》じゃ。フィルムをしっかりと流《なが》すために、映写機《えいしゃき》のなかにはトゲトゲのついた丸《まる》いギア（歯車《はぐるま》）がたくさん設置《せっち》されておる。トゲトゲが4つのパーフォレーションにしっかり食《く》い込《こ》み、要所要所《ようしょようしょ》で回転運《かいてんうん》動《どう》で送《おく》り出《だ》す。これらは「スプロケット」と呼《よ》ばれておる。そして、ひっかけて送《おく》るために必要《ひつよう》なのがツメじゃ。レンズの前《まえ》でフィルムが止《と》まった瞬間《しゅんかん》、両脇《りょうわき》からツメが出《で》てきてフィルムをひっかけて送《おく》るというしくみなのじゃ。映《えい》写中《しゃちゅう》はカタカタという音《おと》がしたじゃろう？　フィルムはただ流《なが》れているのでなく、1コマずつひっかけて送《おく》って映写《えいしゃ》しているからじゃ」

「すごくよく考《かん》えられたしくみなんですね」

「シネマトグラフのひっかけて送《おく》る再生方法《さいせいほうほう》は、その後《ご》開発《かいはつ》された16ミリフィルムや8ミリフィルムなど小型映写機《こがたえいしゃき》にもひき継《つ》がれていったのじゃ。1920年代《ねんだい》に1秒《びょう》に24コマの映写《えいしゃ》が基準《きじゅん》となり、大型《おおがた》の35ミリフィルム映写機《えいしゃき》の装置《そうち》もどんどん複雑《ふくざつ》になっていったのじゃ。いまから実物《じつぶつ》を見《み》せてあげよう」

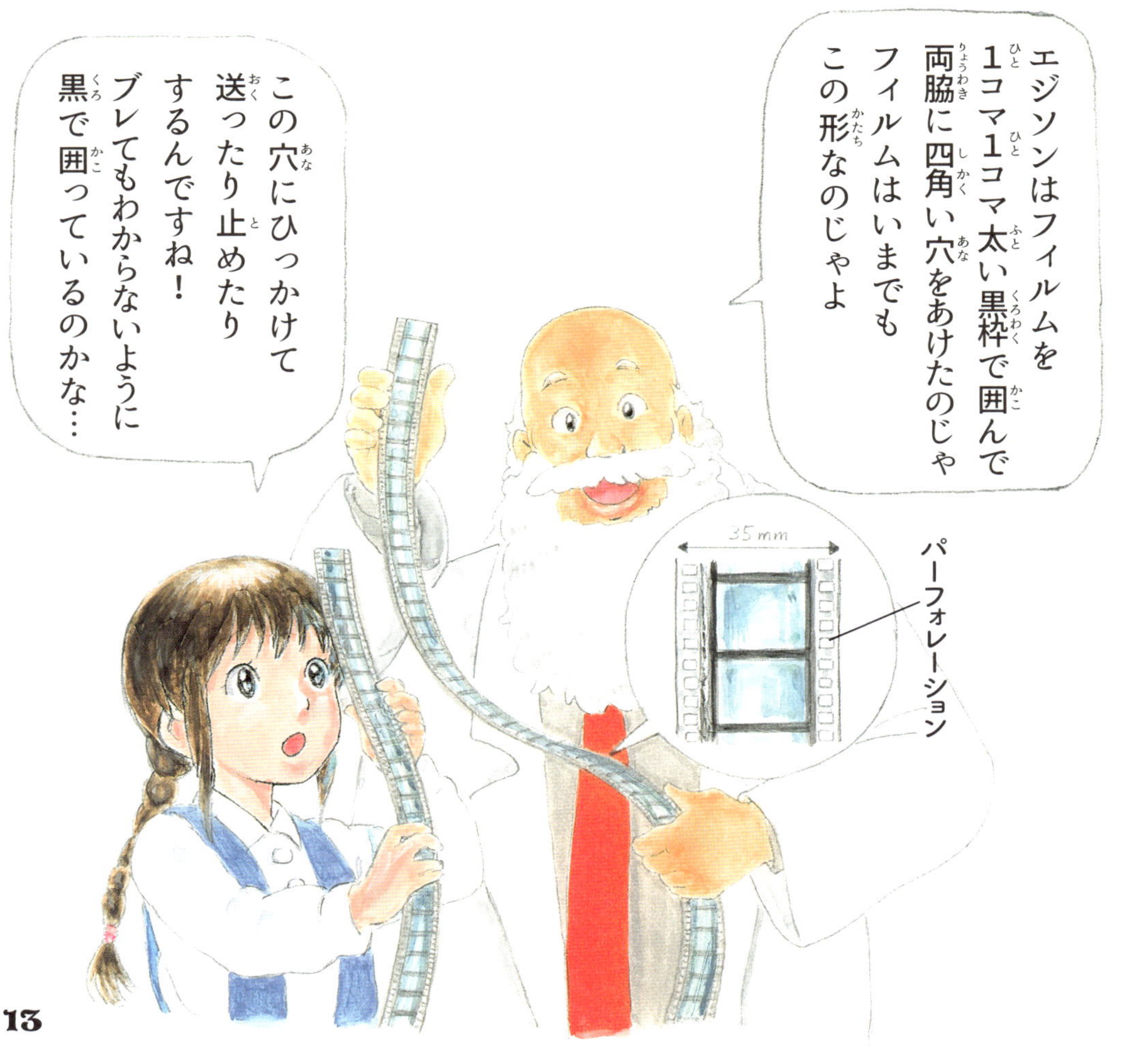
エジソンはフィルムを1《ひと》コマ1《ひと》コマ太《ふと》い黒枠《くろわく》で囲《かこ》んで両脇《りょうわき》に四角《しかく》い穴《あな》をあけたのじゃ　フィルムはいまでもこの形《かたち》なのじゃよ
35mm
パーフォレーション
この穴《あな》にひっかけて送《おく》ったり止《と》めたりするんですね！　ブレてもわからないように黒《くろ》で囲《かこ》っているのかな…

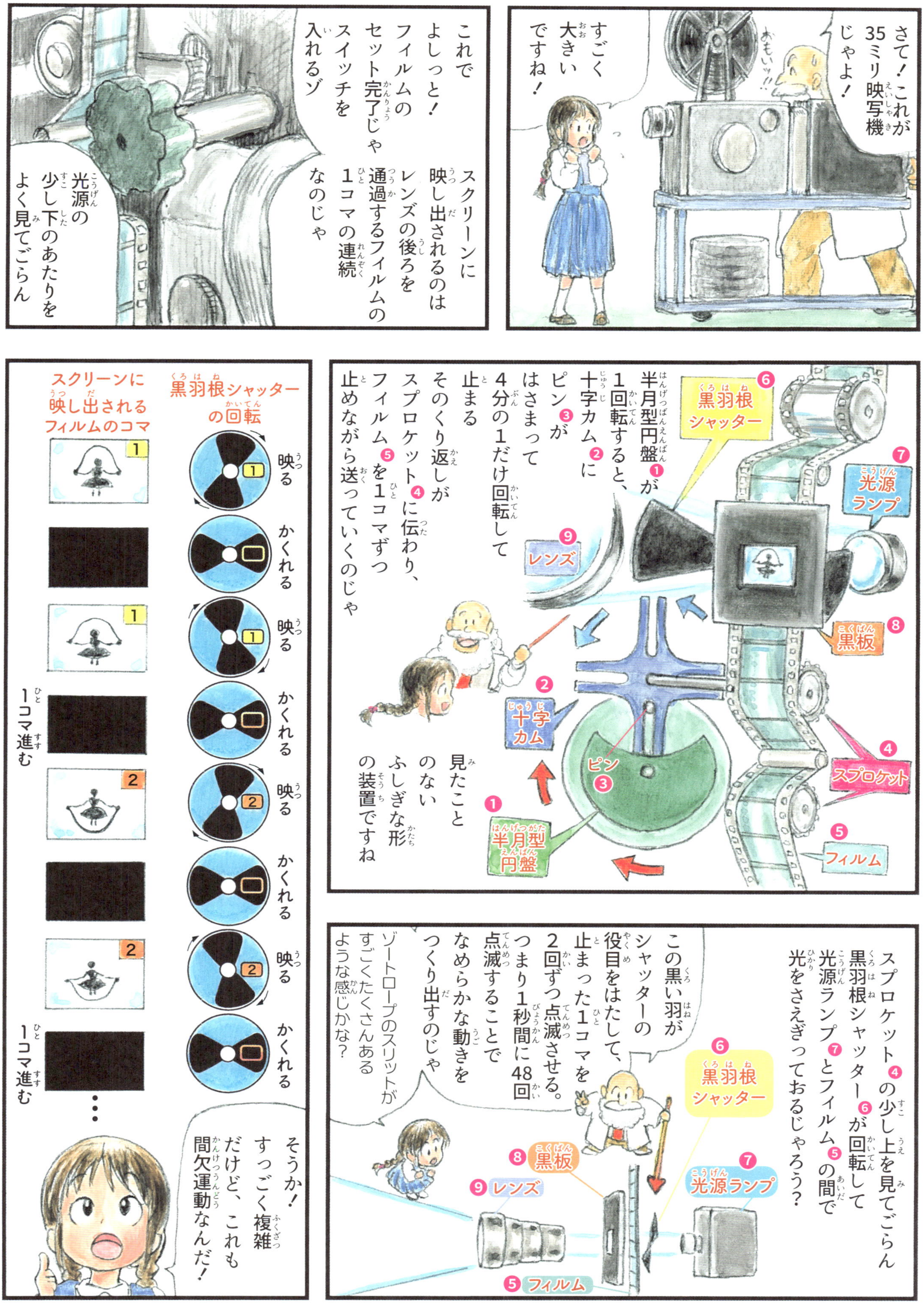

映写機《えいしゃき》はほんとうはもっと複雑《ふくざつ》なものなのじゃが、ここではわかりやすいように単純《たんじゅん》にしておるぞ

1秒《びょう》＝16コマが1秒《びょう》＝24コマとなった理由《りゆう》は映像《えいぞう》に音《おと》が入《はい》ったからじゃ。くわしくは18ページを読《よ》むのじゃぞ

わかった！絵《え》を動《うご》かす原理《げんり》はみんな同《おな》じなんだ！
人《ひと》は大昔《おおむかし》からずっと「分解《ぶんかい》と再生《さいせい》」のしくみをつくりつづけてきたんだ！

このページは絵《え》を動《うご》かすしくみの歴史《れきし》になっています
これまでに登場《とうじょう》した発明品《はつめいひん》の名前《なまえ》、ちゃんと覚《おぼ》えてる？　わからなかったら１巻《かん》と２巻《かん》を読《よ》んでね！

映像《えいぞう》とアニメーションの歴史年表《れきしねんぴょう》

1825 ロンドンでソーマトロープが大流行《だいりゅうこう》
（→『アニメーションのひみつ』第1巻）

1832 数学者《すうがくしゃ》ジョゼフ・プラトー（ベルギー）が発明《はつめい》したフェナキスティスコープが発売《はつばい》
（→『アニメーションのひみつ』第2巻）

1834 数学者《すうがくしゃ》ウィリアム・ジョージ・ホーナー（イギリス）がゾートロープを発明《はつめい》
（→『アニメーションのひみつ』第3巻）

1877 エミール・レイノー（フランス）が、鏡面《きょうめん》を使《つか》ったプラクシノスコープを開発《かいはつ》

1878 写真家《しゃしんか》エドワード・マイブリッジ（アメリカ）が馬《うま》の連続写真撮影《れんぞくしゃしんさつえい》に成功《せいこう》

1888 エミール・レイノーが帯状《おびじょう》フィルム（フィルムロール）を投影《とうえい》する映写《えいしゃ》システム、テアトル・オプティークを開発《かいはつ》

1891 トーマス・エジソン（アメリカ）がキネトスコープを開発《かいはつ》

1895 リュミエール兄弟《きょうだい》（フランス）がシネマトグラフを開発《かいはつ》

1906 スチュアート・ブラックトン（アメリカ）が黒板画《こくばんが》で『愉快《ゆかい》な百面相《ひゃくめんそう》』を制作《せいさく》
（→19ページ❶）

1907 スチュアート・ブラックトンが家具《かぐ》のコマ撮《ど》りで『幽霊《ゆうれい》ホテル』を制作《せいさく》

1908 エミール・コール（フランス）が手描《てが》きアニメーション『ファンタスマゴリー』を制作《せいさく》
（→19ページ❷）

1912 ラディスラフ・スタレヴィッチ（ソ連《れん》）が昆虫《こんちゅう》の人形《にんぎょう》アニメーションを制作《せいさく》

1914 ウィンザー・マッケイ（アメリカ）がホワイトボード画《が》で『恐竜《きょうりゅう》ガーティ』を制作《せいさく》
（→19ページ❹）

アール・ハードと J.R. ブレイ（アメリカ）が「セル」の技術《ぎじゅつ》を開発《かいはつ》、特許《とっきょ》を申請《しんせい》

1917 日本初《にほんはつ》のアニメーション『芋川椋三玄関番《いもかわむくぞうげんかんばん》の巻《まき》』（下川凹天《しもかわおうてん》）、『猿蟹合戦《さるかにがっせん》』（北山清太郎《きたやませいたろう》）、『なまくら刀《がたな》（塙凹内名刀《はなわへこないめいとう》之《の》巻《まき》）』（幸内純一《こううちじゅんいち》）公開《こうかい》
（→19ページ❻）

1919 マックス・フライシャー（アメリカ）がロトスコープ（実写《じっしゃ》の写《うつ》し描《が》き）で『インク壺《つぼ》の外《そと》へ』を制作《せいさく》

1928 世界初《せかいはつ》のトーキー短編《たんぺん》『蒸気船《じょうきせん》ウィリー』をウォルト・ディズニー（アメリカ）が制作《せいさく》

1937 世界初《せかいはつ》のカラー長編《ちょうへん》『白雪姫《しらゆきひめ》』をウォルト・ディズニーが制作《せいさく》

1943 日本《にほん》の本格的《ほんかくてき》セルアニメーション短編《たんぺん》『くもとちゅうりっぷ』を政岡憲三《まさおかけんぞう》が制作《せいさく》

1958 日本初《にほんはつ》のカラー長編《ちょうへん》『白蛇伝《はくじゃでん》』（藪下泰司《やぶしたたいじ》）を東映動画《とうえいどうが》（現《げん》・東映《とうえい》アニメーション）が制作《せいさく》

アニメーションの誕生《たんじょう》と初期《しょき》の作品《さくひん》たち

「おそらく、映画《えいが》が発明《はつめい》されて間《ま》もなく、こんなことを考《かんが》える人《ひと》が登場《とうじょう》したはずじゃ。

「映画《えいが》の撮影《さつえい》カメラは、目《め》の前《まえ》で起《お》こる現実《げんじつ》を1秒《びょう》16コマ（のちに24コマ）に自動的《じどうてき》に分解《ぶんかい》してフィルムに記録《きろく》していく。これとは逆《ぎゃく》に、動《うご》きを描《か》いた絵《え》を1コマずつカメラを止《と》めてフィルムに記録《きろく》して再生《さいせい》したらどうなるのだろう」と

「1枚《まい》ずつ絵《え》を撮影《さつえい》して再生《さいせい》する……

あっ、それってパラパラマンガと同《おな》じ！」

「そうじゃ！　エミール・レイノーが1コマ1コマ手《て》で描《か》いたように、描《か》いた絵《え》を1コマずつ撮影《さつえい》できれば「映画《えいが》」とはちがって、どんな被写体《ひしゃたい》でも生《い》きているように動《うご》かすことができる。この「コマ撮《ど》り」がアニメーション映画《えいが》の出《しゅっ》発点《ぱってん》なのじゃ。では、いよいよ上映開始《じょうえいかいし》じゃ」

「ついにアニメーション映画《えいが》の歴史《れきし》がはじまるんですね！」

「まずは現存《げんぞん》するもっとも古《ふる》い「絵《え》が動《うご》く」アニメーション映画《えいが》、アメリカのジェイムズ・スチュアート・ブラックトンの『愉快《ゆかい》な百面相《ひゃくめんそう》』（1906年《ねん》）（↓19ページ❶）じゃ。この作品《さくひん》では黒板《こくばん》に白《しろ》いチョークで描《か》いた絵《え》が「動《うご》く」のじゃ。絵《え》を少《すこ》しずつ消《け》したり描《か》き足《た》したりしながら撮影《さつえい》したコマ撮《ど》りと、実写《じっしゃ》で構成《こうせい》されておる」

「絵《え》を描《か》いたり消《け》したりしている人《ひと》の映《えい》像《ぞう》と、その人《ひと》が描《か》いた黒板《こくばん》の絵《え》がいろんな顔《かお》に変《か》わっていく作品《さくひん》なんですね」

「そうなんじゃ。でもこの作品《さくひん》ではまだ「絵《え》が動《うご》く」というよりも「絵《え》が置《お》き換《か》わる」という印象《いんしょう》じゃな。もしかするとこれよりもっと古《ふる》い作品《さくひん》が今後《こんご》見《み》つかるかもしれん。ブラックトンは『幽霊《ゆうれい》ホテル』（1907年《ねん》）で、家具《かぐ》をコマ撮《ど》りで動《うご》かすことにも挑戦《ちょうせん》していて、「物《もの》が動《うご》く」アニメーションの元祖《がんそ》とも言《い》われておる。

同《おな》じ頃《ころ》、フランスでアニメーションをつくりはじめたのがエミール・コールじゃ。ファントーシュという主人公《しゅじんこう》が登場《とうじょう》する『ファンタスマゴリー』（1908年《ねん》）（↓❷）をシリーズ化《か》して何本《なんぼん》もつくった。真《ま》っ黒《くろ》い背景《はいけい》に白《しろ》い線画《せんが》のキャラクターが動《うご》くという単純《たんじゅん》なものじゃが、ようやく「動《うご》く絵《え》」になってきたじゃろう？」

「はい、アニメーションも映画《えいが》と同《おな》じようにアメリカとフランスが出発点《しゅっぱつてん》なんですね。こちらはとっても素朴《そぼく》でかわいい絵《え》ですね」

「人気《にんき》キャラクターの元祖《がんそ》と言《い》えるかもしれんのう。つづいて、ブラックトンの影響《えいきょう》を受《う》けてアニメーションをつくりはじめた漫画家《まんがか》のウィンザー・マッケイじゃ」

「わぁ…いまのアニメみたいに、すごくていねいで細《こま》かい絵《え》ですね！　いきなり進化《しんか》したみたいです。動《うご》かすのもたいへんそう…」

「マッケイは「ニューヨーク・ヘラルド」という新聞《しんぶん》に1905年《ねん》から『夢《ゆめ》の国《くに》のリトル・ニモ』という漫画《まんが》を連載《れんさい》していて、これが大人気《だいにんき》となっていた。それを自分自身《じぶんじしん》で約《やく》4000枚《まい》の絵《え》を描《か》いて撮影《さつえい》して『リトル・ニモ』（1911年《ねん》）（↓❸）という作品《さくひん》をつくったのじゃ。ガーティという名《な》の恐竜《きょうりゅう》とマッケイ自身《じしん》が共演《きょうえん》する『恐竜《きょうりゅう》ガーティ』（1914年《ねん》）（↓❹）、イギリス船《せん》がドイツ軍《ぐん》の潜水艦《せんすいかん》に撃沈《げきちん》された事実《じじつ》をセルアニメーションで再現《さいげん》した『ルシタニア号《ごう》の沈没《ちんぼつ》』（1918年《ねん》）（↓❺）など。すばらしい作品《さくひん》がたくさんあるのじゃ。マッケイはアニメーションを芸《げい》術《じゅつ》に高《たか》めた人《ひと》としていまもたいへん尊敬《そんけい》されておる。

ところで、初期《しょき》のアニメーションは、背景《はいけい》もキャラクターも、個人《こじん》でコツコツと1枚《まい》1枚《まい》紙《かみ》に描《か》き、その絵《え》をコマ撮《ど》りしてつなげておった。そうすると、動《うご》かないはずの背景《はいけい》も、撮影台《さつえいだい》のズレや紙《かみ》の重《かさ》ね方《かた》などでどうしてもビリビリと線《せん》が震《ふる》えているように見《み》えてしまう。そこでこの大《おお》きな問題《もんだい》を解決《かいけつ》しようと、動《うご》くキャラクターと動《うご》かない背景《はいけい》を分《わ》けて描《か》こうと考《かんが》える者《もの》が現《あら》われたのじゃ」

1932年《ねん》、コダック社《しゃ》は従来《じゅうらい》の35ミリフィルムの半分以下《はんぶんいか》の幅《はば》で安《やす》くつくれる16ミリフィルムを発売《はつばい》したのじゃ
そのあと、さらにその半分《はんぶん》の8ミリも登場《とうじょう》したのじゃが、いまではほとんど使《つか》われなくなってしまったのぅ

「それって、エミール・レイノーがやっていたのと同《おな》じ考《かんが》え方《かた》になったってことですね」

「その通《とお》りじゃ。ようやく天才《てんさい》レイノーに追《お》いついたんじゃが、まだとうぶんは白黒《しろくろ》じゃ。1914年《ねん》、アメリカのジョン・ランドルフ・ブレイが透《とう》明《めい》なセルロイドの板《いた》（セル）に背景《はいけい》を描《か》き、キャラクターを紙《かみ》に描《か》いて動《うご》かすという新《あたら》しい技法《ぎほう》を生《う》み出《だ》したのじゃ。すると同《おな》じ年《とし》に、アール・ハードが紙《かみ》に描《か》いた背景《はいけい》と、セルにキャラクターを描《か》いた「セル画《が》」とを重《かさ》ねていっしょに撮影《さつえい》するというブレイとは逆《ぎゃく》の技法《ぎほう》を考《かんが》え出《だ》した。これがいまもつづく「セルアニメーション」と呼《よ》ばれる様式《ようしき》として定着《ていちゃく》したのじゃ。この発明《はつめい》によってアニメーションの量産化《りょうさんか》の道《みち》がひらかれたと言《い》えるのじゃ。また、ここから動画《どうが》・背景《はいけい》・彩色《さいしき》・撮影《さつえい》といった制《せい》作工程《さくこうてい》の分業《ぶんぎょう》がはじまったとも言《い》われておる」

「いまのようなアニメってディズニーが初《はじ》めてつくったのかと思《おも》っていました。もっとずっと前《まえ》から、こんなにつくっていた人《ひと》たちがいたんですね」

「ウォルト・ディズニーは、まちがいなくその新時代《しんじだい》を開拓《かいたく》した人物《じんぶつ》のひとりじゃ。ウォルトは1900年《ねん》に生《う》まれて、19歳《さい》で会社《かいしゃ》をつくってアニメーションをつくりはじめたのじゃ。当時《とうじ》すでに多《おお》くの作家《さっか》たちが活躍《かつやく》しておったが、ディズニーは、世界《せかい》で初《はじ》めてトーキー（音《おと》が入《はい》っている）のアニメーションをつくることに成功《せいこう》したのじゃ。ミッキー・マウスが登場《とうじょう》する『蒸気船《じょうきせん》ウィリー』（1928年《ねん》）という短編《たんぺん》じゃ。

初期《しょき》の映画《えいが》は、映像《えいぞう》だけのサイレント（音《おと》がない）だったのじゃが、やがて台詞《せりふ》や音楽《おんがく》・効果音《こうかおん》が加《くわ》わっていった。ディズニーは、映像《えいぞう》と音《おと》を同《おな》じフィルムの上《うえ》に記録《きろく》するサウンドトラック方式《ほうしき》を採《さい》用《よう》することで、映像《えいぞう》と音《おと》がシンクロした映画《えいが》を世《せ》界《かい》で初《はじ》めてつくることができた。それまで1秒《びょう》16コマの再生《さいせい》だったフィルムは、音声《おんせい》と同期《どうき》させるために24コマとなり、これが基準《きじゅん》となったのじゃ。それから、カラーフィルムが開発《かいはつ》されて、ようやくレイノーの様式《ようしき》が、より完成《かんせい》された形《かたち》で出現《しゅつげん》することになるのじゃ。それ以来《いらい》、フィルムによる撮《さつ》影《えい》と上映《じょうえい》は80年《ねん》以上《いじょう》もつづいたのじゃが、今世紀《こんせいき》になってからはコンピュータ技術《ぎじゅつ》の発展《はってん》によって撮《さつ》影《えい》も上映《じょうえい》も急速《きゅうそく》にデジタルデータに変《か》わっていったのじゃ。フィルムで上映《じょうえい》される映画館《えいがかん》は減《へ》るいっぽうじゃ。

同《おな》じくセルアニメーションの素材《そざい》も発展《はってん》した。セルロイドはアセテートフィルムに変《か》わり、やがて工《こう》程《てい》もデジタル化《か》されてセルの実物《じつぶつ》は使《つか》われなくなった。そして精密《せいみつ》な画《え》を動《うご》かす３ＤＣＧ《スリーディーシージー》の全《ぜん》盛時代《せいじだい》がやって来《き》たのじゃ。しかしそれでもセルアニメーションは世界中《せかいじゅう》で愛《あい》され、デジタル技術《ぎじゅつ》で手描《てが》きのセルアニメーション様式《ようしき》を再現《さいげん》した「セルルックアニメーション」によって、新《あら》たな作品《さくひん》がつくられつづけておるのじゃ」

「キレイで細《こま》かい３ＤＣＧ《スリーディーシージー》も好《す》きですが、やっぱり手描《てが》きのアニメーションがいちばん好《す》きです！」

「ははは……私《わたし》もそうじゃよ。なんと言《い》っても原点《げんてん》じゃからのう。

つぎは日本《にほん》の原点《げんてん》を見《み》せよう。現在見《げんざいみ》ることができるもっとも古《ふる》い日本《にほん》のアニメーション、幸内純一《こううちじゅんいち》の『なまくら刀《がたな》（塙凹内名刀之巻《はなわへこないめいとうのまき》）』（1917年《ねん》）（→6）じゃ」

「お侍《さむらい》さんの目《め》がぐるぐる回《まわ》ったり、最後《さいご》は影絵《かげえ》になったりしておもしろいです！」

「この作品《さくひん》は、紙《かみ》に描《か》いたキャラクターの目《め》や手足《てあし》をハサミで切《き》り抜《ぬ》いて、「福笑《ふくわら》い」のように重《かさ》ねて、各部品《かくぶひん》を少《すこ》しずつ動《うご》かして撮影《さつえい》してつくられたものじゃ。いまで言《い》う「切《き》り紙《がみ》アニメーション」じゃな」

「日本《にほん》のアニメは最初《さいしょ》からセルでつくられていたのかと思《おも》っていました！」

「セルロイドはとても高価《こうか》だったので、使《つか》いたくても使《つか》えなかったのじゃ。日本《にほん》にセルが導入《どうにゅう》されたのは、『なまくら刀《がたな》』から20年《ねん》以上《いじょう》あとのことじゃ。ただし、いまでは世界《せかい》でもっともたくさんセルルックアニメーションがつくられている国《くに》

デジタル化《か》された現代《げんだい》でも、映画《えいが》はアニメーションも実写《じっしゃ》もすべて1秒《びょう》24コマの再生方式《さいせいほうしき》で上映《じょうえい》されているのじゃ

なんじゃよ」

最初《さいしょ》にアニメーションをつくったのは誰《だれ》？

「おっほん！　それで最初《さいしょ》の質問《しつもん》「いつどこでアニメーションが生《う》まれたか」の答《こたえ》なんじゃが…」

「はい。私《わたし》、もうわかりました！」

「ほう！　では聞《き》かせてもらえるかな」

「壁画《へきが》を描《か》いたクロマニョン人《じん》、おもちゃを開発《かいはつ》した人《ひと》たちやエミール・レイノー、映画《えいが》になってからのエミール・コールやウィンザー・マッケイ、そしてウォルト・ディズニーや日本《にほん》の絵描《えか》きたち…、どこかひとつの場所《ばしょ》や決《き》まった時間《じかん》じゃなくて、いろいろなところでアニメーションの種《たね》がたくさんまかれていて、そういう歴史《れきし》が積《つ》み重《かさ》なって生《う》まれたんじゃないかって。みんなみんな「アニメーションを生《う》み出《だ》した人《ひと》たち」なんじゃないかって…そんな気《き》がします！」

「おおっ！　それはわしが用意《ようい》していた答《こたえ》よりも、ずっとすばらしい答《こたえ》じゃよ！」

①『愉快《ゆかい》な百面相《ひゃくめんそう》』（1906年《ねん》）

②『ファンタスマゴリー』（1908年《ねん》）

アニメーションも
いまの形《かたち》になるまでに
いろんな実験《じっけん》が
あったんですね

初期《しょき》の作家《さっか》たちの試行錯誤《しこうさくご》が
あとにつづいた
ウォルト・ディズニーらに
ひき継《つ》がれ
その後《ご》のアニメーションを
豊《ゆた》かなものにしたのじゃ

③『リトル・ニモ』（1911年《ねん》）

④『恐竜《きょうりゅう》ガーティ』（1914年《ねん》）

⑤『ルシタニア号《ごう》の沈没《ちんぼつ》』（1918年《ねん》）

⑥『なまくら刀《がたな》』（1917年《ねん》）

東京国立近代美術館フィルムセンター所蔵

帰《かえ》ったら博士《はかせ》にお礼《れい》のお手紙《てがみ》書《か》くから
あんたも書《か》きなさいよ

えーっ
めんどい

また行《い》きたいんでしょ
だったら書《か》け!

うっひゃあ…
はっ、はい!

チャレンジ3

ゾートロープをつくろう！

難易度《なんいど》
☆☆☆

ここからは工作《こうさく》のページだニャ

①から④までの道具《どうぐ》と材料《ざいりょう》を準備《じゅんび》してニャー

道具《どうぐ》や材料《ざいりょう》も、つくりやすくて回《まわ》しやすいものを自分《じぶん》で工夫《くふう》してみてニャ…「失敗《しっぱい》は成功《せいこう》のもと」だニャ

①30ページから32ページの**型紙《かたがみ》をコピーしたもの**（32ページの型紙《かたがみ》3は2枚《まい》コピーしておこう）
②**絵《え》を描《か》く道具《どうぐ》**（えんぴつ、墨《すみ》や絵《え》の具《ぐ》と筆《ふで》、サインペンなどなんでも自由《じゆう》に描《か》いてみよう）
③コピーした型紙《かたがみ》2と型紙《かたがみ》3を貼《は》る**台紙《だいし》**（薄《うす》めのケント紙《し》など弾力性《だんりょくせい》のあるものがつくりやすいよ）
④**スティック糊《のり》か両面《りょうめん》テープ、カッター、ハサミ、セロハンテープ、輪《わ》ゴム**（ゾートロープ1個《こ》につき2本《ほん》）、**直径《ちょっけい》10ミリの木《き》の丸棒《まるぼう》**（長《なが》さは15センチから20センチくらいのもの）

つくる前《まえ》に読《よ》むのじゃ！

ここからのページの注意書《ちゅういが》きじゃぞ

最後《さいご》の工作《こうさく》は、いよいよゾートロープじゃ。絵《え》の数《かず》はフェナキスティスコープと同《おな》じ12枚《まい》じゃが、動《うご》きがより見《み》やすくなっておるぞ。これまでより型紙《かたがみ》の種類《しゅるい》も増《ふ》えて、ナリコ君《くん》とリョウ君《くん》もちょっと苦労《くろう》しておったが、できあがったときには大《おお》よろこびしておったぞ。ここまで読《よ》んでくれたみんななら、きっとすばらしいゾートロープができるはずじゃ。

・30ページから32ページ「型紙《かたがみ》」
（何枚《なんまい》かコピーしておくといろんな絵《え》に挑戦《ちょうせん》できる）
・22ページ「ゾートロープをえがこう！」（描《か》く方法《ほうほう》を学《まな》ぶ）
・23・28・29ページ「見本帖《みほんちょう》」（絵《え》を描《か》くときのお手本《てほん》）

「見本帖《みほんちょう》」はアニメーターの人《ひと》たちが型紙《かたがみ》を使《つか》って実際《じっさい》に描《か》いてくれたゾートロープ用《よう》の絵《え》じゃよ。絵《え》を描《か》くときのお手本《てほん》にするのじゃ。このページをコピーしてゾートロープの動画《どうが》ループをつくることもできるぞ。どんなふうに見《み》えるか、いろいろと試《ため》してみると新《あたら》しい絵《え》のアイディアが浮《う》かぶかもしれんのう。

道具《どうぐ》の準備《じゅんび》ができたら、今度《こんど》は24ページから27ページの「つくってあそぼうゾートロープ！」をよく読《よ》んで実際《じっさい》につくってみるのじゃ。

『アニメーションのひみつ 第《だい》3巻《かん》』はもりだくさんの内容《ないよう》じゃったが、楽《たの》しんでもらえたかな。ちょっとむずかしいと思《おも》ったら、1巻《かん》から読《よ》みかえしてみるといいぞ。「アニメーションのひみつ」はまだまだたくさんあるのじゃ。みんなも興味《きょうみ》を持《も》ったことをいろいろ自分《じぶん》で調《しら》べてみてほしい。

わからないことがあったら、いつでもヤブシタ・アニメーション研究所《けんきゅうしょ》で待《ま》っているぞ。また会《あ》おう。

ゾートロープをえがこう!
えとぶん
わだとしかつ
ゾートロープは
いままでの
描《か》き方《かた》の
集大成《しゅうたいせい》
でござるよ!
12枚《まい》の
パラパラ
漫画《まんが》を描《か》いて…
イキテル!
横《よこ》にならべてまわす!
(→くりかえしのうごき)
拙者《せっしゃ》
免許皆伝《めんきょかいでん》の
腕前《うでまえ》
なのでござる
アニメ忍者《にんじゃ》
服部阿仁蔵《はっとりあにぞう》
いったい
何《なん》の
免許《めんきょ》
ニャ?
ということは
まず…
ひたすら
紙《かみ》をすかしながら
パラパラマンガを
12枚《まい》描《か》くのみ!
がんばるニョら!
8まい! 9まい! 10まい!
12まい!
ゴール
地面《じめん》など
うごかない部分《ぶぶん》を
しっかり意識《いしき》すると
よいニャ!
すかして描《か》く:
アドバイス♡
1
タップにはめて描《か》く
※アニメ用紙《ようし》
プロは「タップ」という
道具《どうぐ》を使《つか》ってすかすときに
紙《かみ》がずれないようにかさねる
(※タップとアニメ用紙《ようし》は画材屋《がざいや》さんでも手《て》に入《はい》る)
プロの
つもり
2
筆《ふで》の柄《え》などを切《き》って
拙者《せっしゃ》は
プロ
だけど
お家《うち》にある
「2穴《けつ》パンチ」でも
工夫《くふう》すれば使《つか》える
3
でも穴《あな》をあけなくても
ずれない印《しるし》をつけるだけで
実《じつ》は十分《じゅうぶん》!
印《しるし》をもとに
ゾートロープの紙《かみ》にすかして写《うつ》す!

このページはコピーしたものを切《き》り抜《ぬ》いて使《つか》うのじゃ

キリヌキ ゾートロープ見本帖《みほんちょう》ニャ

ゾートロープ画《が》：和田敏克《わだとしかつ》

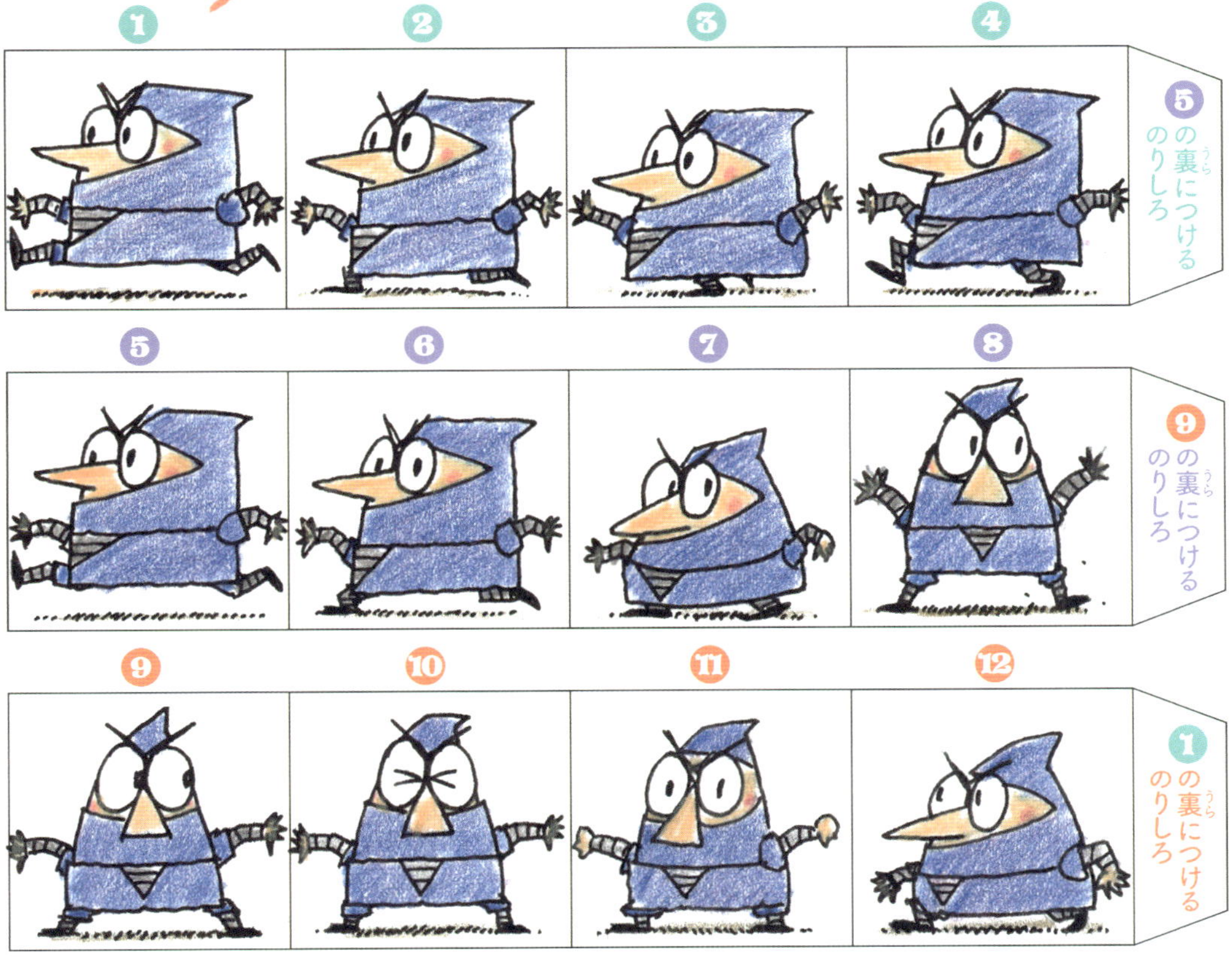

このページはコピーを切《き》り抜《ぬ》いて組《く》み立《た》ててあそぼう!

つくりかたは24~27ページだよん!

↑最後《さいご》なので特別《とくべつ》ゲスト

↑フクザツでゴテゴテしたものよりもシンプルでポーズの形《かたち》がひとめで分《わ》かるものの方《ほう》がよく動《うご》いて見えるのだ! やってみよう!

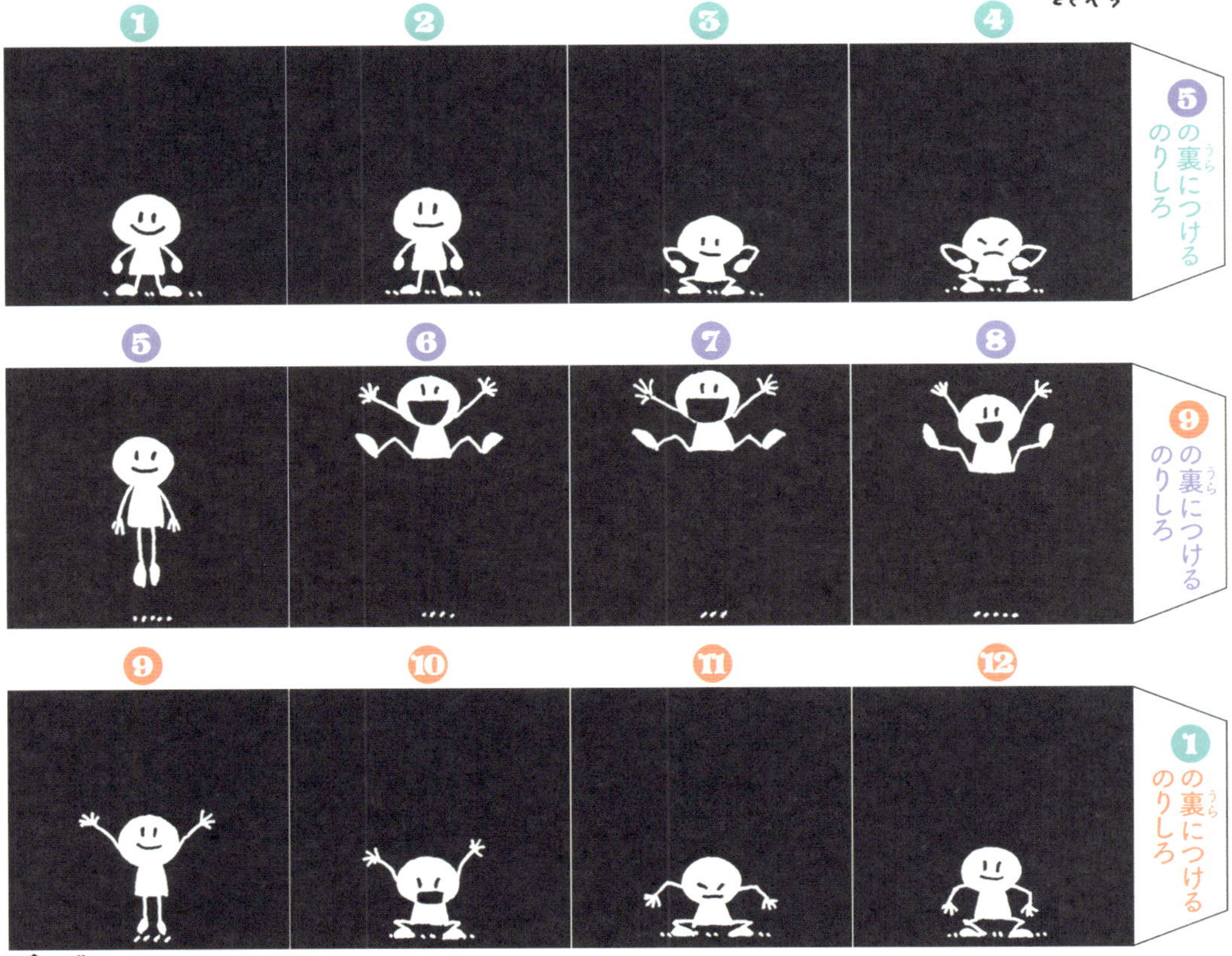

← 最後《さいご》なので着《き》かえました

ではまたアニメの国《くに》でお会《あ》いしましょう~!

つくってあそぼう ゾートロープ!

by わたなべさちよ

① 30ページから32ページの型紙《かたがみ》のコピーをとる

→32ページの型紙《かたがみ》3（円筒部《えんとうぶ》）は
コピーを2枚《まい》とっておこう

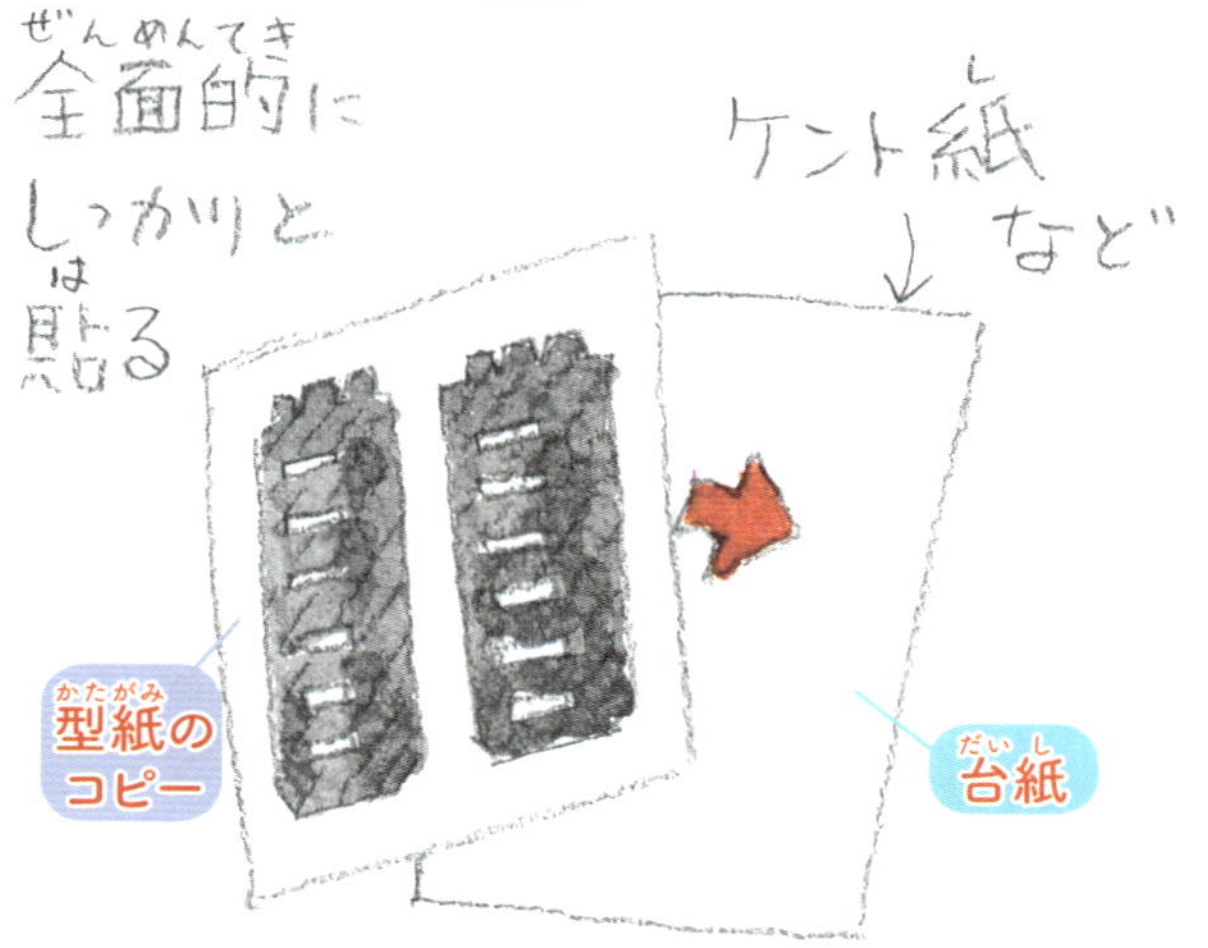

② コピーした型紙《かたがみ》2と型紙《かたがみ》3（1枚《まい》だけ）を
台紙《だいし》（ケント紙《し》など）に
接着剤《せっちゃくざい》（両面《りょうめん》テープやスティック糊《のり》）で
貼《は》りつける

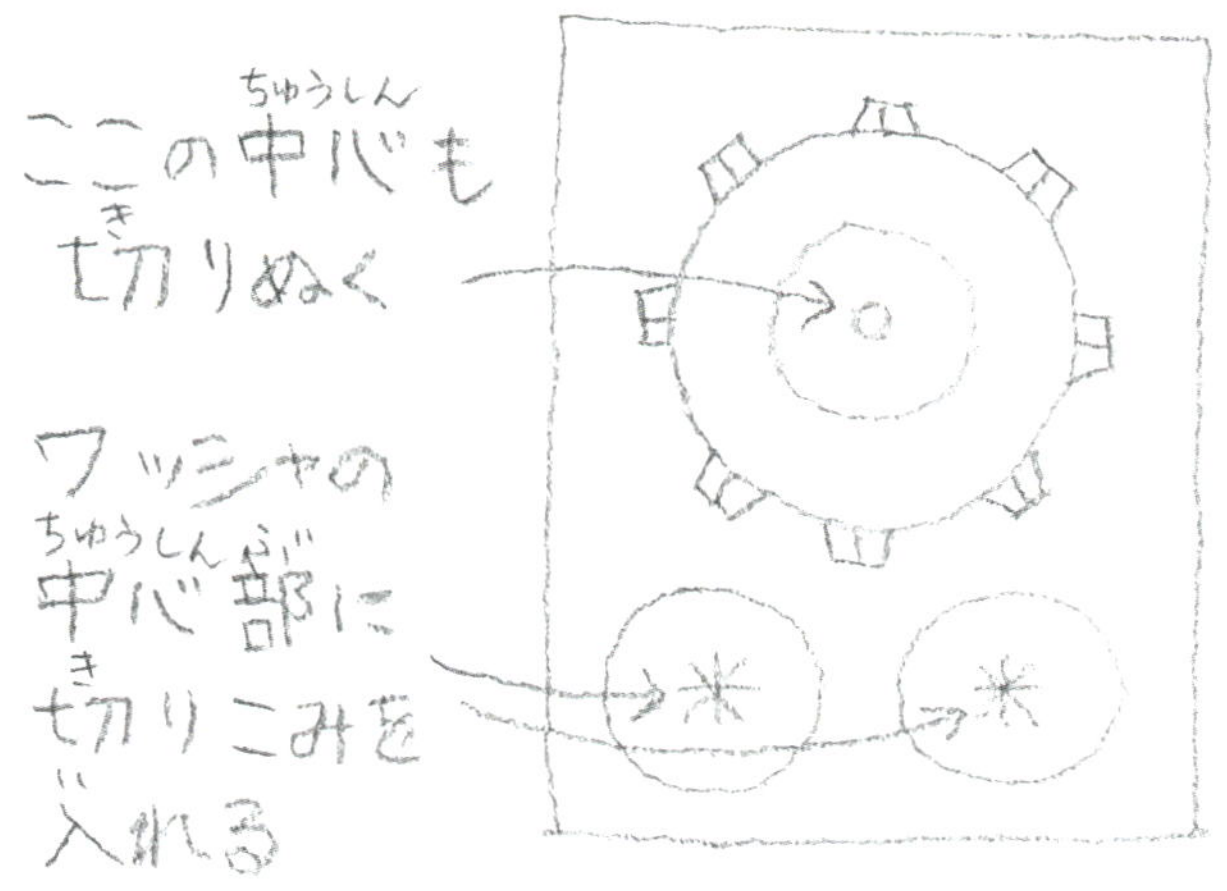

③ 台紙《だいし》に貼《は》った型紙《かたがみ》2（底面部《ていめんぶ》とワッシャ）を切《き》り抜《ぬ》く

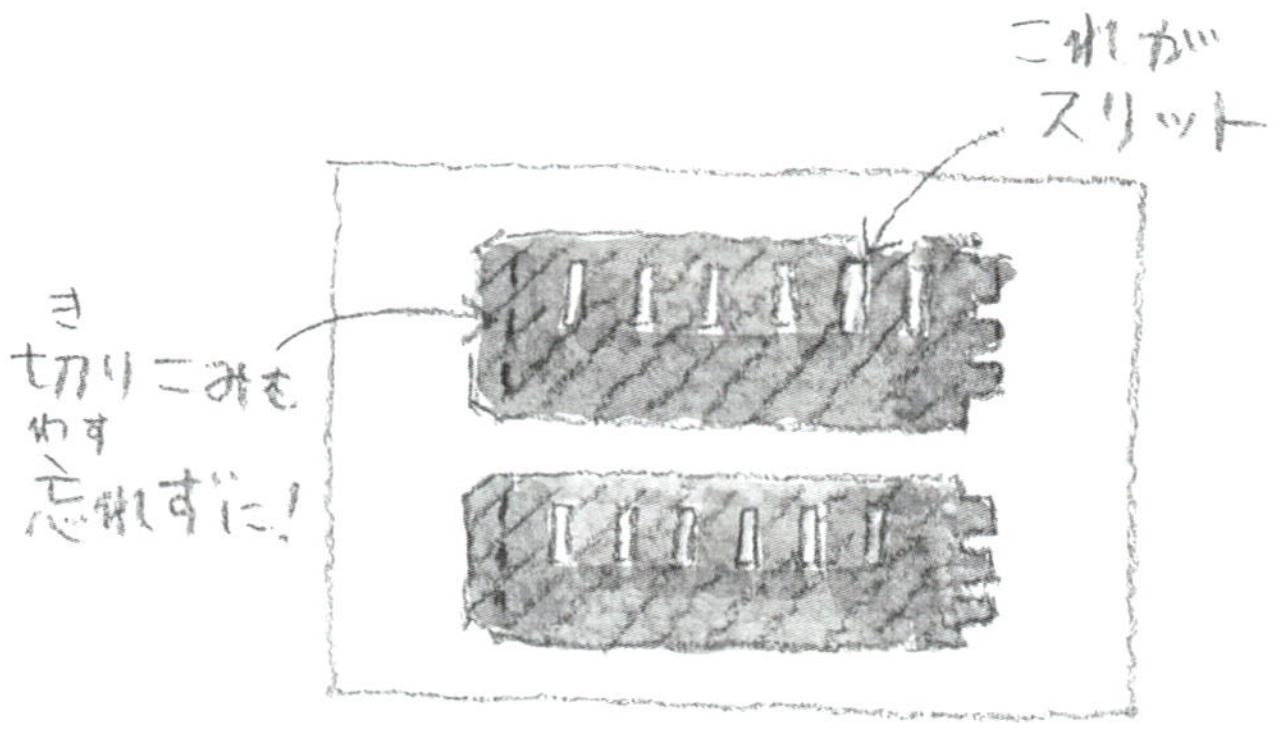

④ 台紙《だいし》に貼《は》った型紙《かたがみ》3（円筒部《えんとうぶ》）を切《き》り抜《ぬ》く

→スリットも12個《こ》すべて切《き》り抜《ぬ》こう

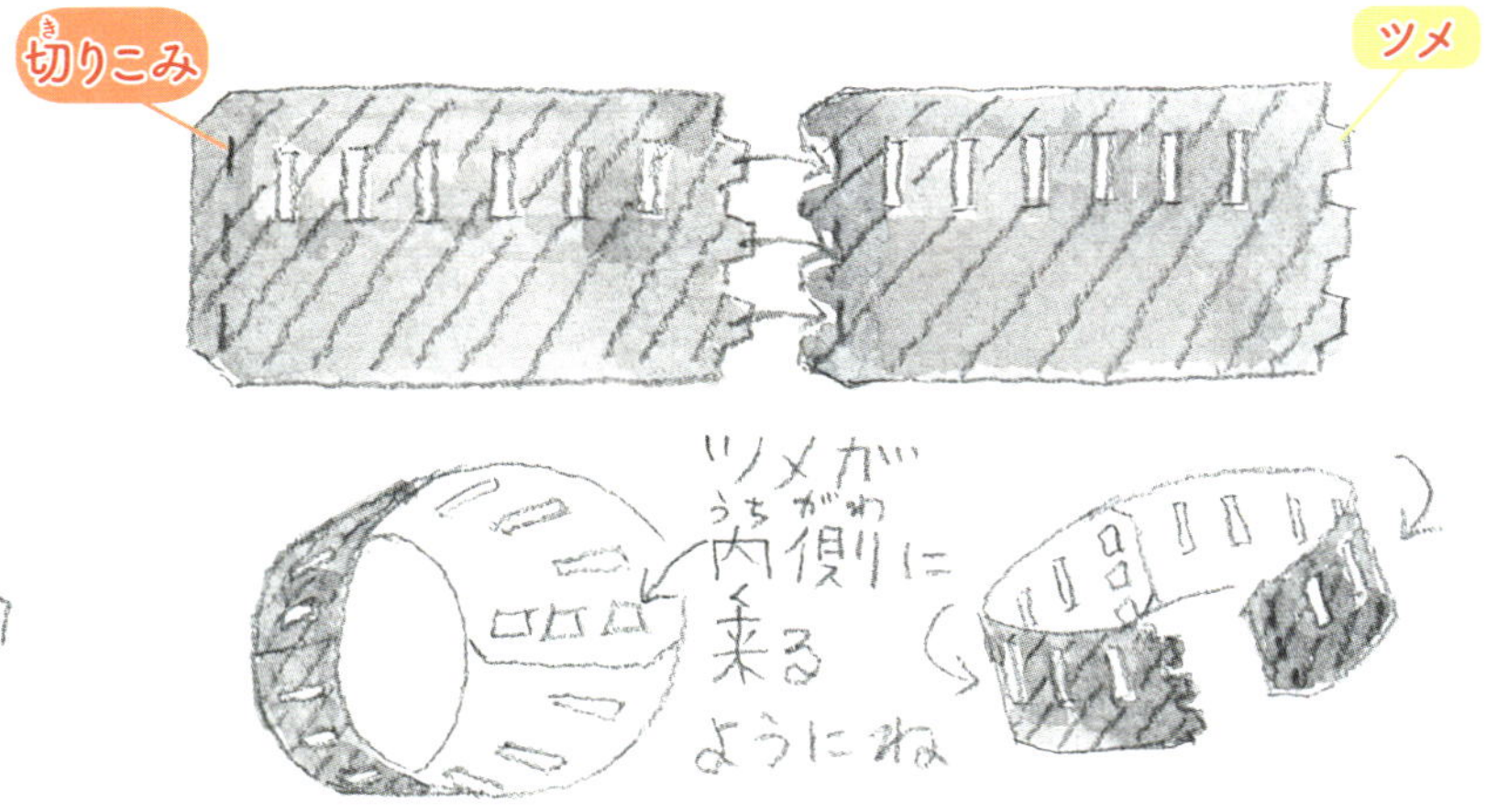

切《き》りこみ
ツメ
ツメが内側《うちがわ》に来《く》るようにね

5 2枚《まい》の円筒部《えんとうぶ》のそれぞれのツメを
おたがいの切《き》りこみに差《さ》しこんでつなげ
円筒《えんとう》をつくる

→つなげた部分《ぶぶん》は、はずれないように
上《うえ》からセロハンテープで貼《は》ろう

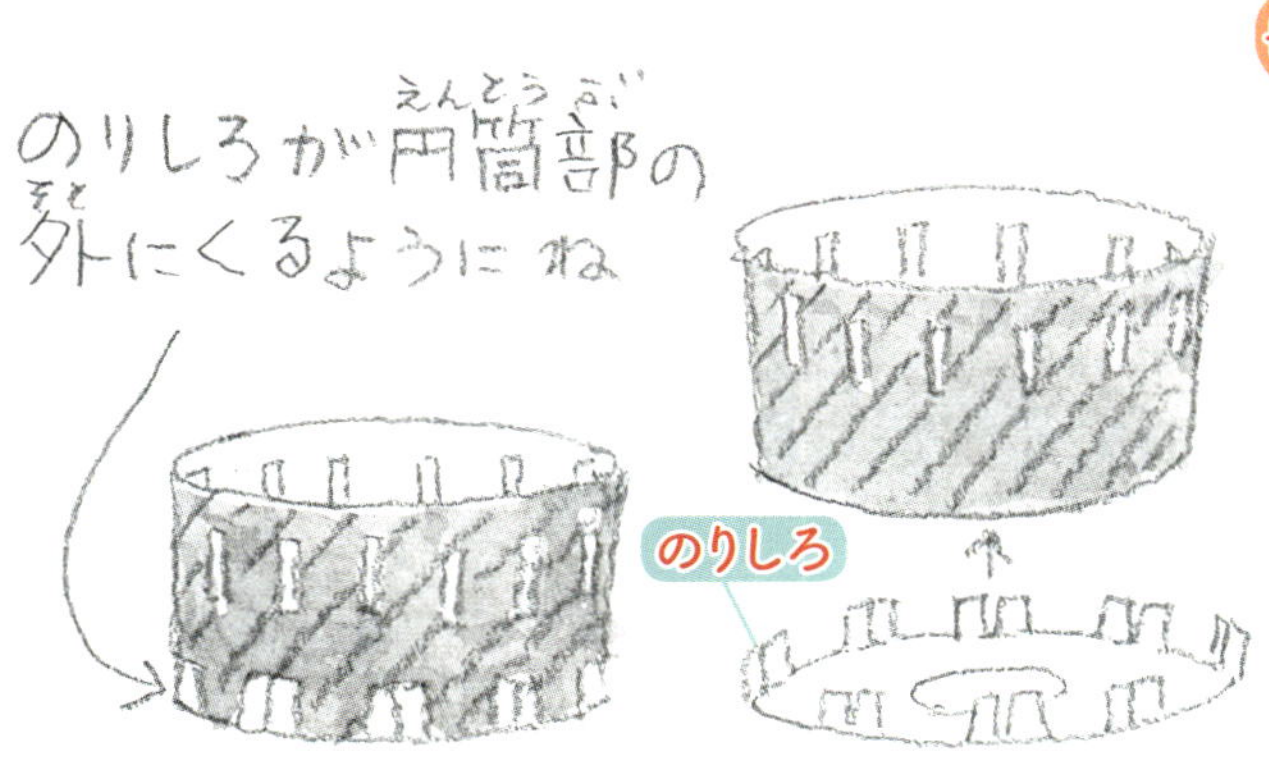

のりしろが円筒部《えんとうぶ》の外《そと》にくるようにね
のりしろ

6 底面部《ていめんぶ》のコピーを貼《は》った面《めん》を上《うえ》にして
のりしろ部分《ぶぶん》を立《た》て
円筒部《えんとうぶ》に接着剤《せっちゃくざい》で貼《は》りつける

→くっつきにくいときは
セロハンテープで補強《ほきょう》しよう

ベタベタ〜

7 2枚《まい》のワッシャのそれぞれ裏面《うらめん》（台紙側《だいしがわ》）に
接着剤《せっちゃくざい》をつける

→切《き》りこみ部分《ぶぶん》もふくめて全面《ぜんめん》に

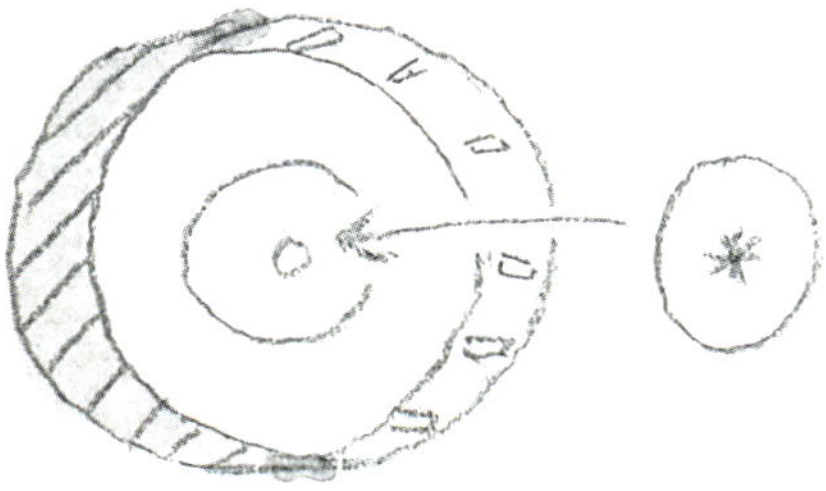

8 接着剤《せっちゃくざい》をつけたワッシャの1枚《まい》を
底面部《ていめんぶ》の内側《うちがわ》の中心《ちゅうしん》に貼《は》りつける

→底面部《ていめんぶ》の内側にある
細《ほそ》い線《せん》の円《えん》に合《あ》わせて貼《は》ろう

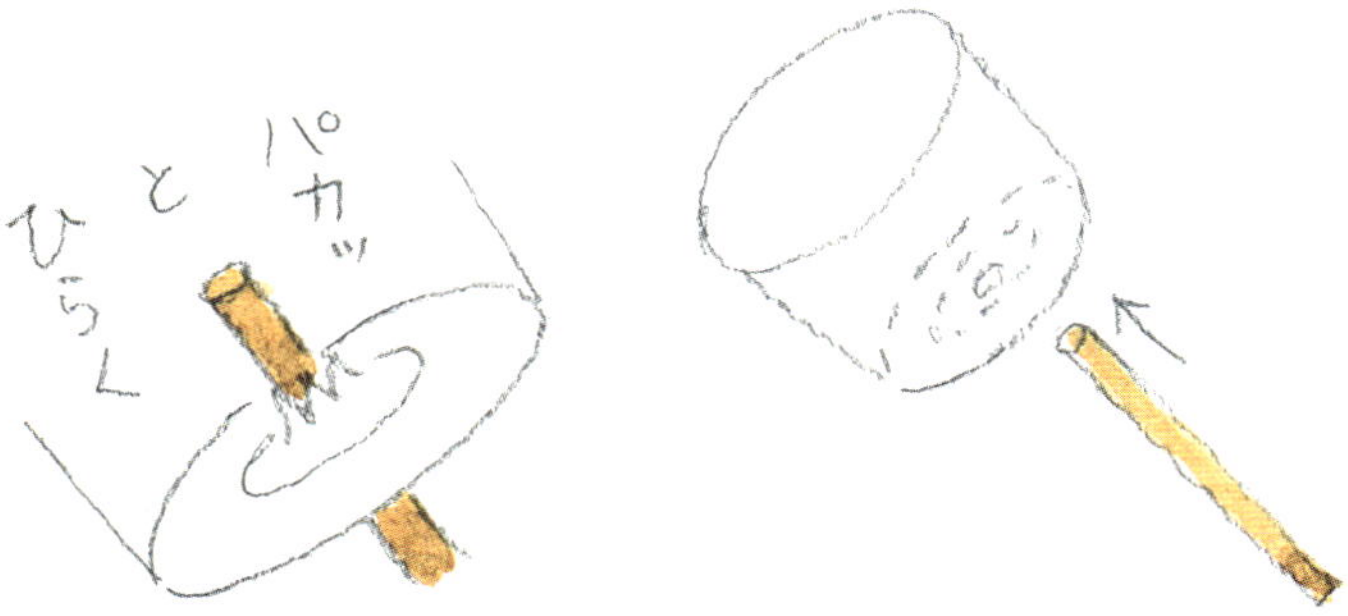

パカッとひらく

9 底面部《ていめんぶ》の中心《ちゅうしん》に下《した》から木《き》の棒《ぼう》を
2センチから3センチ通《とお》す

→このときワッシャの
切《き》りこみ部分《ぶぶん》がひらいて木の棒《ぼう》にくっつくよ

10 棒《ぼう》とワッシャの切《き》りこみ部分《ぶぶん》の
接着部《せっちゃくぶ》の上《うえ》から
セロハンテープを巻《ま》いて補強《ほきょう》し
さらに上《うえ》から輪《わ》ゴムをぐるぐる巻《ま》きにして固定《こてい》する

11 もう1枚《まい》のワッシャの
接着剤《せっちゃくざい》をつけた面《めん》を上《うえ》にして
今度《こんど》は棒《ぼう》の下《した》から通《とお》し
底面部《ていめんぶ》の下《した》の面《めん》（台紙《だいし》の面《めん》）に貼《は》りつける

→このときもワッシャの切《き》りこみ部分《ぶぶん》が開《ひら》いて
木《き》の棒《ぼう》にくっつくよ

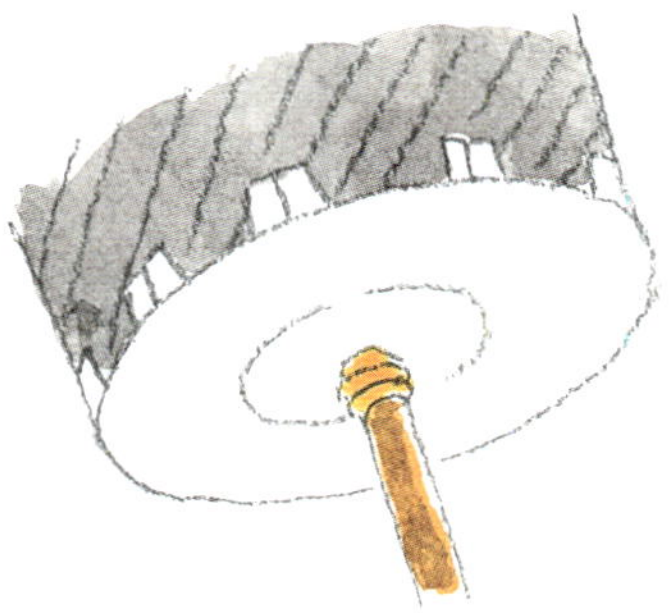

12 10と同《おな》じように……
棒《ぼう》とワッシャの切《き》りこみ部分《ぶぶん》の接着部《せっちゃくぶ》の上《うえ》から
セロハンテープを巻《ま》いて補強《ほきょう》し
さらに上《うえ》から輪《わ》ゴムをぐるぐる巻《ま》きにして
固定《こてい》する

13 1で、もう1枚《まい》コピーをとっておいた
型紙《かたがみ》3（円筒部《えんとうぶ》）の
スリットから下《した》の部分《ぶぶん》だけをそれぞれ切《き》りとる

→台紙《だいし》には貼《は》らないから
コピーした紙《かみ》をそのまま切《き》ろう

14 13で切《き》りとった部分《ぶぶん》の片方《かたほう》のツメを
もう片方《かたほう》の切《き》りこみに差《さ》しこんでつなげ
帯状《おびじょう》にして円筒部《えんとうぶ》の外側《そとがわ》にくるりと巻《ま》く

→つなげた部分《ぶぶん》や円筒部《えんとうぶ》に巻《ま》きつけた部分《ぶぶん》は
接着剤《せっちゃくざい》やセロハンテープで貼《は》ろう

15 23ページ・28ページ・29ページの
見本帖《みほんちょう》のコピーや
型紙《かたがみ》1(動画《どうが》ループ)のコピーに
自分《じぶん》で描《か》いた絵《え》を
切《き》りはなして帯状《おびじょう》にする

16 内側《うちがわ》に絵《え》がくるように
ループ(輪《わ》)をつくって
のりしろを接着剤《せっちゃくざい》で貼《は》りつける

17 ループを円筒《えんとう》の内側《うちがわ》にセットする

→円筒部《えんとうぶ》のいちばん下《した》まで差《さ》しこもう

18 棒《ぼう》を手でくるくる回《まわ》してスリットから¢>くと……

絵《え》が動《うご》き出《だ》すよ!!

このページはコピーしたものを切《き》り抜《ぬ》いて使《つか》うのじゃ

ゾートロープ見本帖《みほんちょう》

ゾートロープ画《が》：大塚康生《おおつかやすお》

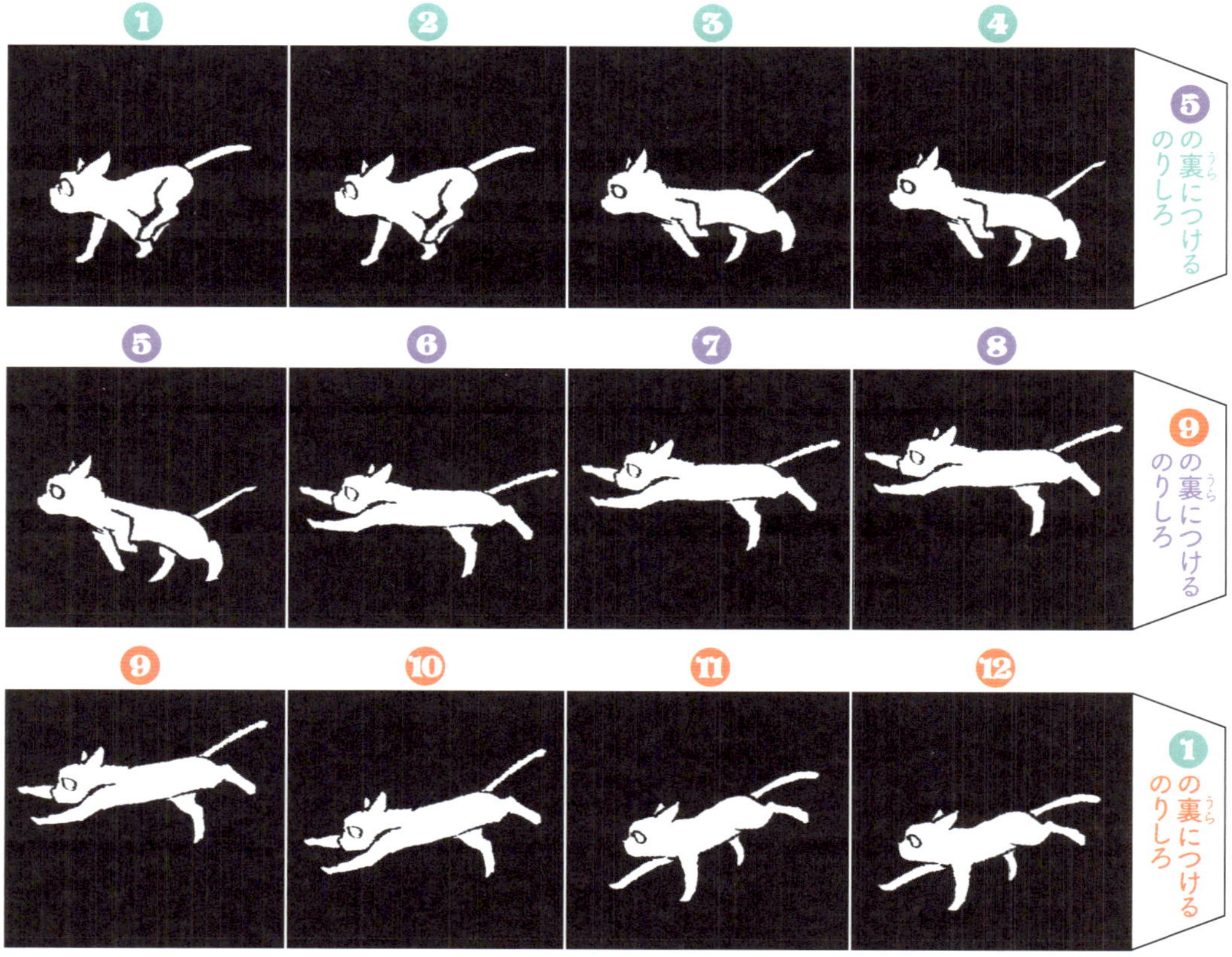

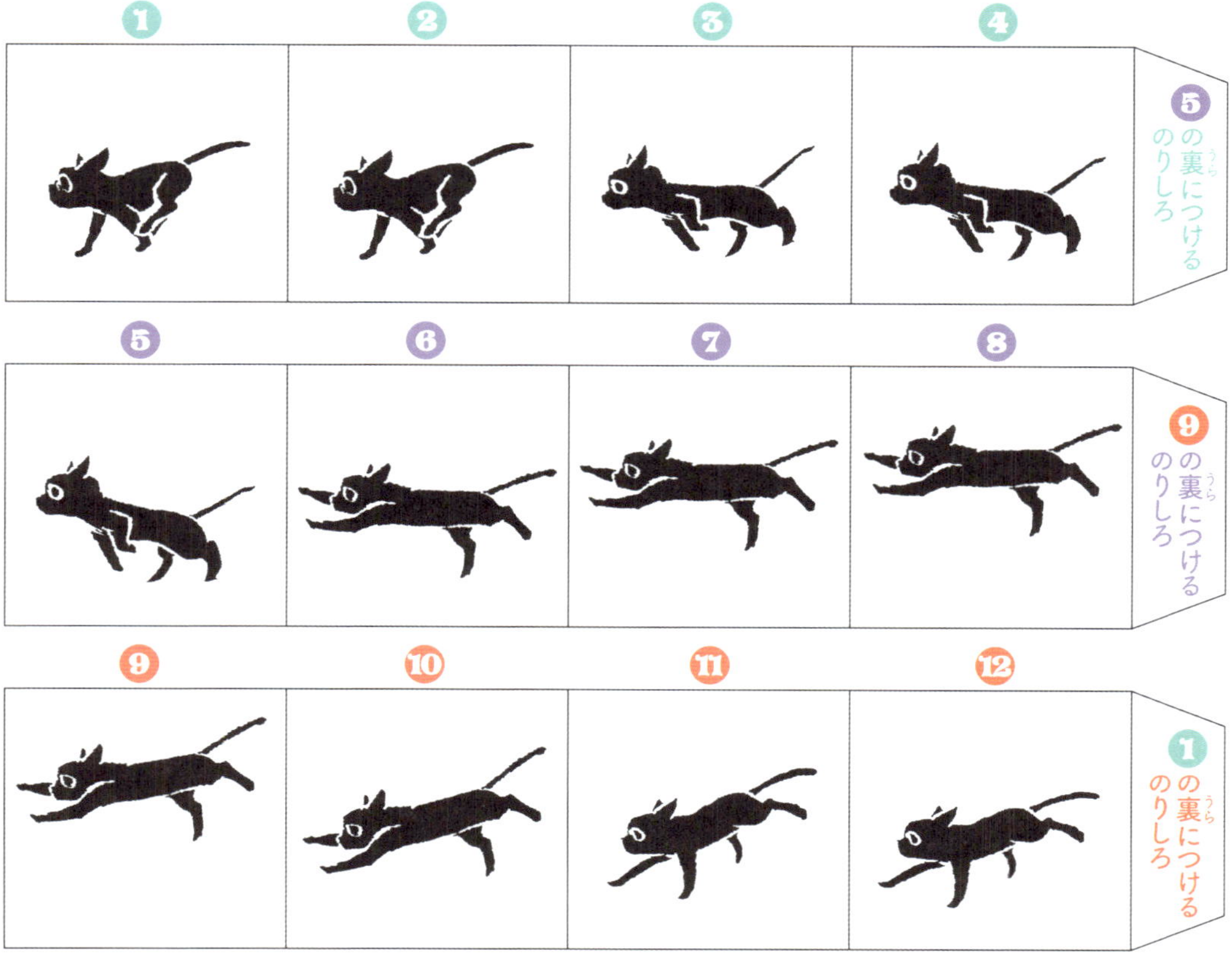

ゾートロープ見《み》本《ほん》帖《ちょう》

ゾートロープ画《が》：わたなべさちよ

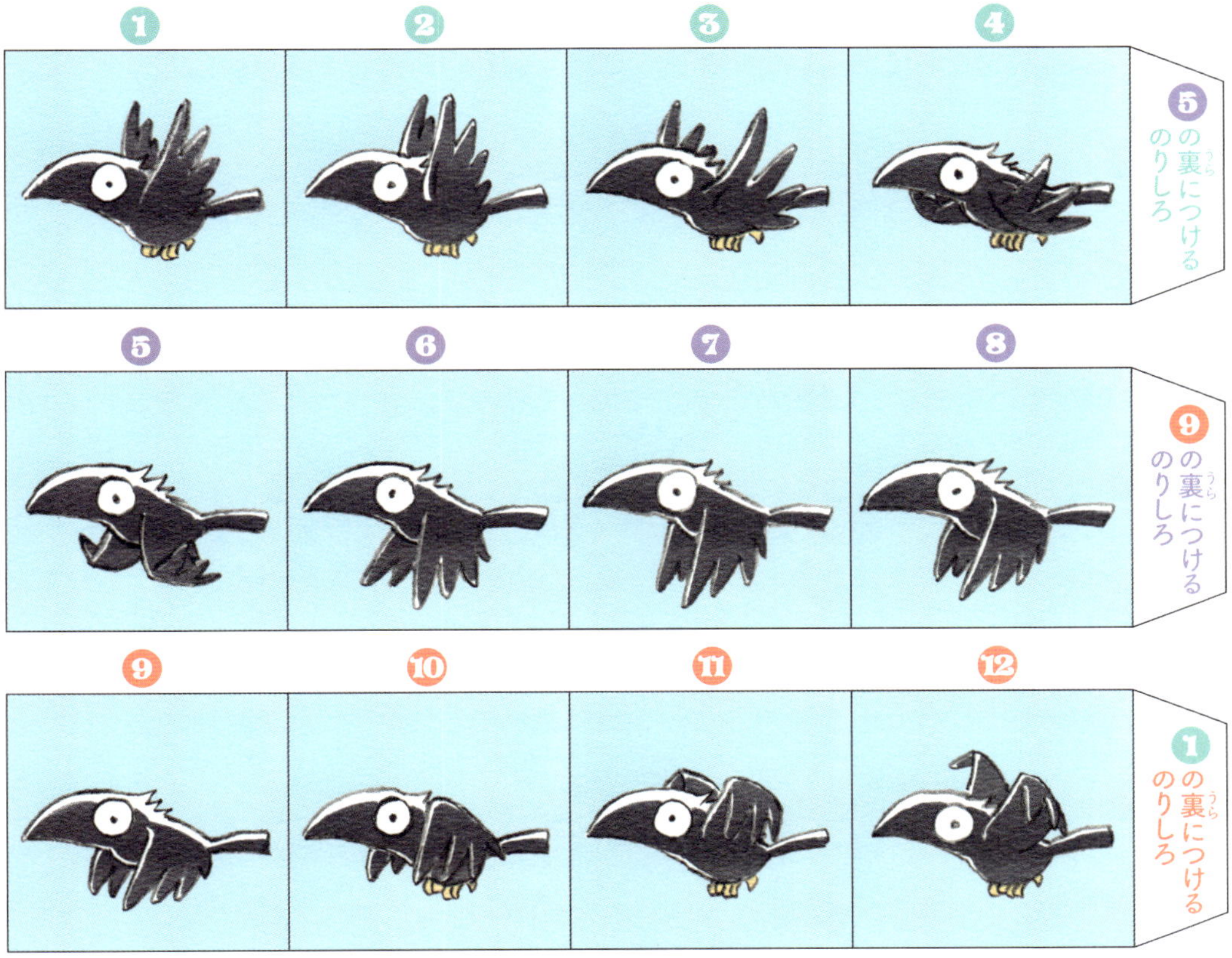

このシリーズ
楽《たの》しんで
もらえたかな？

それでは
またね！

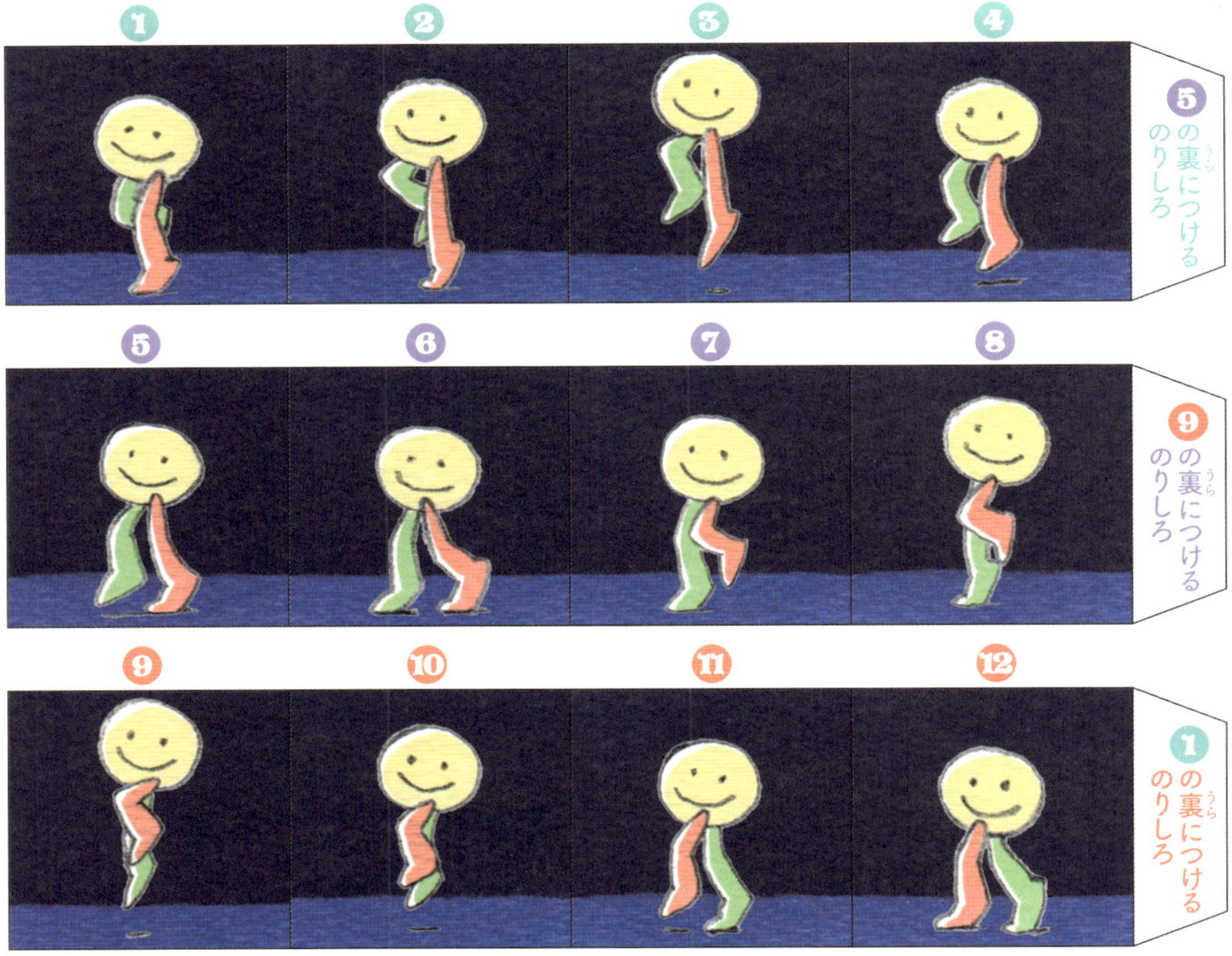

このページはコピーしたものを切《き》り抜《ぬ》いて使《つか》うのじゃ

ゾートロープ 型紙《かたがみ》1 動画《どうが》ループ

タマコから最後《さいご》のアドバイスだニャ

上《うえ》の型紙《かたがみ》は、22ページのアニメ忍者《にんじゃ》服部《はっとり》阿仁蔵《あにぞう》のように12枚《まい》のパラパラマンガを描《か》いて、順番《じゅんばん》に貼《は》ってもOK《オーケー》
27ページのナッちゃんのように型紙《かたがみ》に直接《ちょくせつ》描《か》くのもOK《オーケー》
どっちもむずかしいと思う人は、はじめに①②③をのりしろでつなげて、1本の帯《おび》にしてから描《か》いてみるといいニャ
今度《こんど》会《あ》ったときに完成品《かんせいひん》を見《み》せてほしいニャー
では、また会《あ》おうニャン！

このページはコピーしたものを切《き》り抜《ぬ》いて使《つか》うのじゃ

ゾートロープ 型紙《かたがみ》2 底面部《ていめんぶ》とワッシャ

底面部《ていめんぶ》

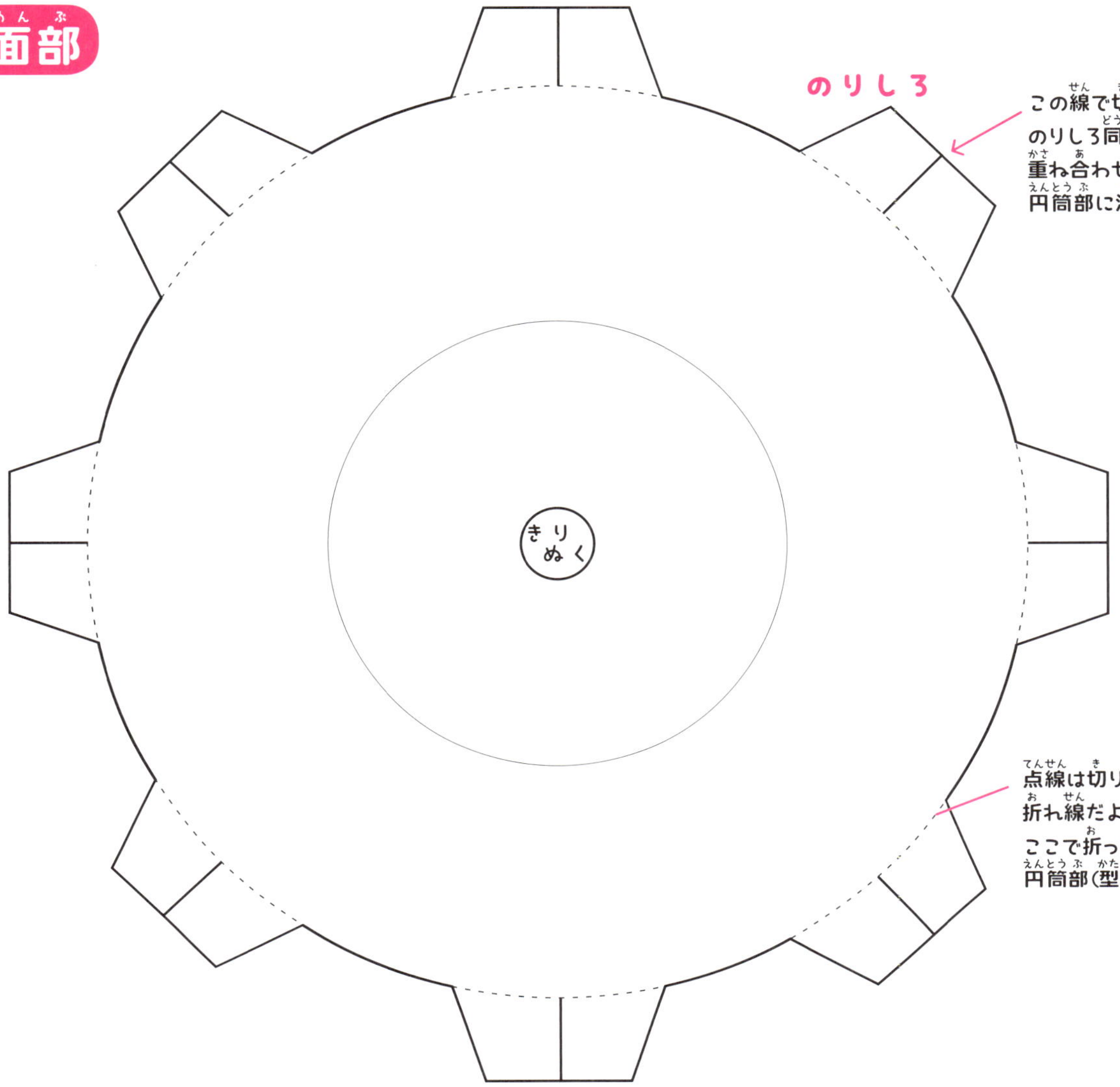

のりしろ

この線《せん》で切《き》りこみを入《い》れ、
のりしろ同士《どうし》を少《すこ》し
重《かさ》ね合《あ》わせる感《かん》じで
円筒部《えんとうぶ》に沿《そ》うよう調整《ちょうせい》しよう

点線《てんせん》は切《き》りとり線《せん》じゃなくて
折《お》れ線《せん》だよ
ここで折《お》ってのりしろを立《た》て、
円筒部《えんとうぶ》(型紙《かたがみ》3)につなげよう

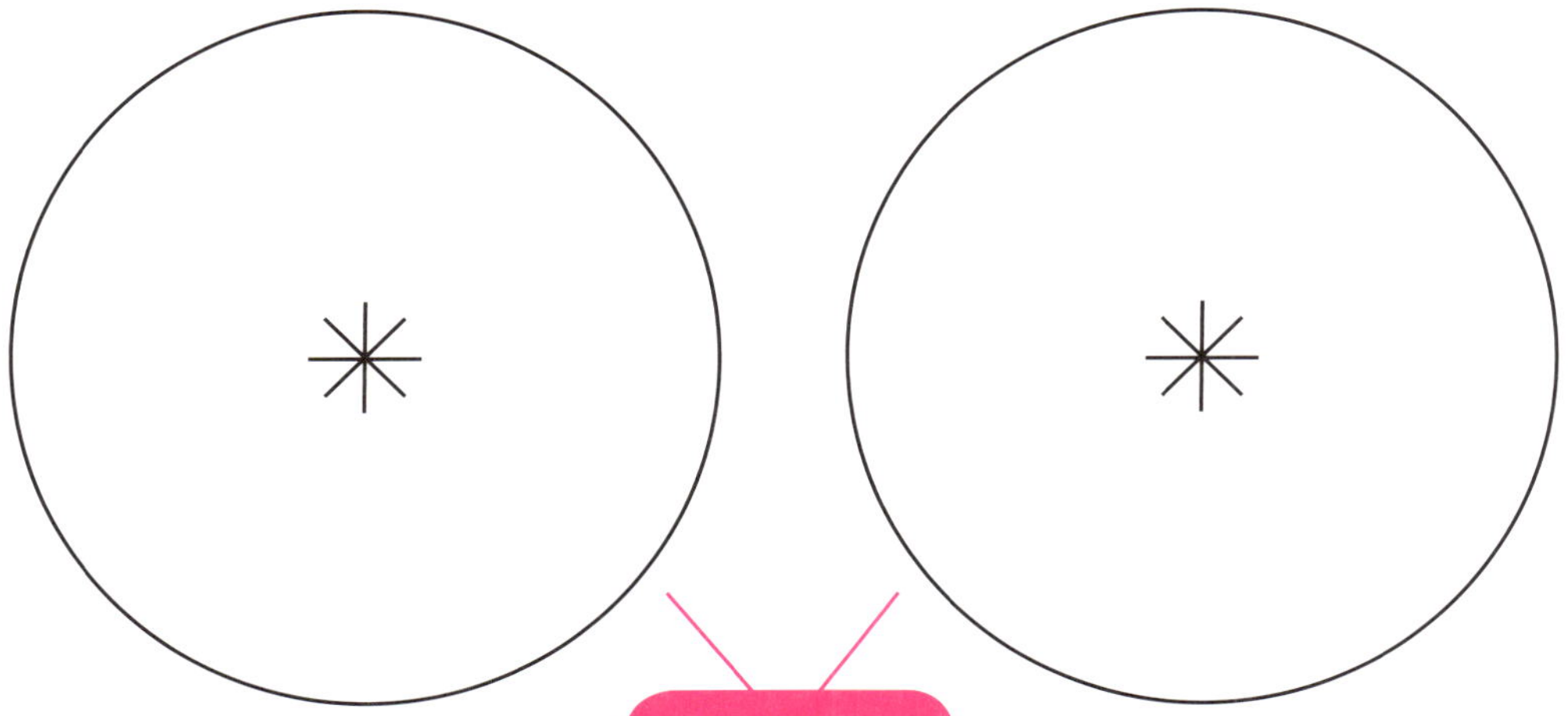

ワッシャ

円《えん》の中心部《ちゅうしんぶ》も太線《ふとせん》にそって切《き》りこみを入《い》れよう

ゾートトロープ 型紙《かたがみ》3 円筒部《えんとうぶ》

下《した》の型紙《かたがみ》をつないで組《く》みたてた円筒《えんとう》は、スリットが入《はい》っているほうが上《うえ》だよ
底面部《ていめんぶ》(31ページ)ののりしろは、この円筒《えんとう》の下《した》の部分《ぶぶん》に沿《そ》うようにつけよう

2枚目《まいめ》のコピーは台紙《だいし》には貼《は》らずに
スリットより下《した》のこの部分《ぶぶん》を切《き》りとって、仕上《しあ》げに円筒部《えんとうぶ》の外側《そとがわ》に巻《ま》こう

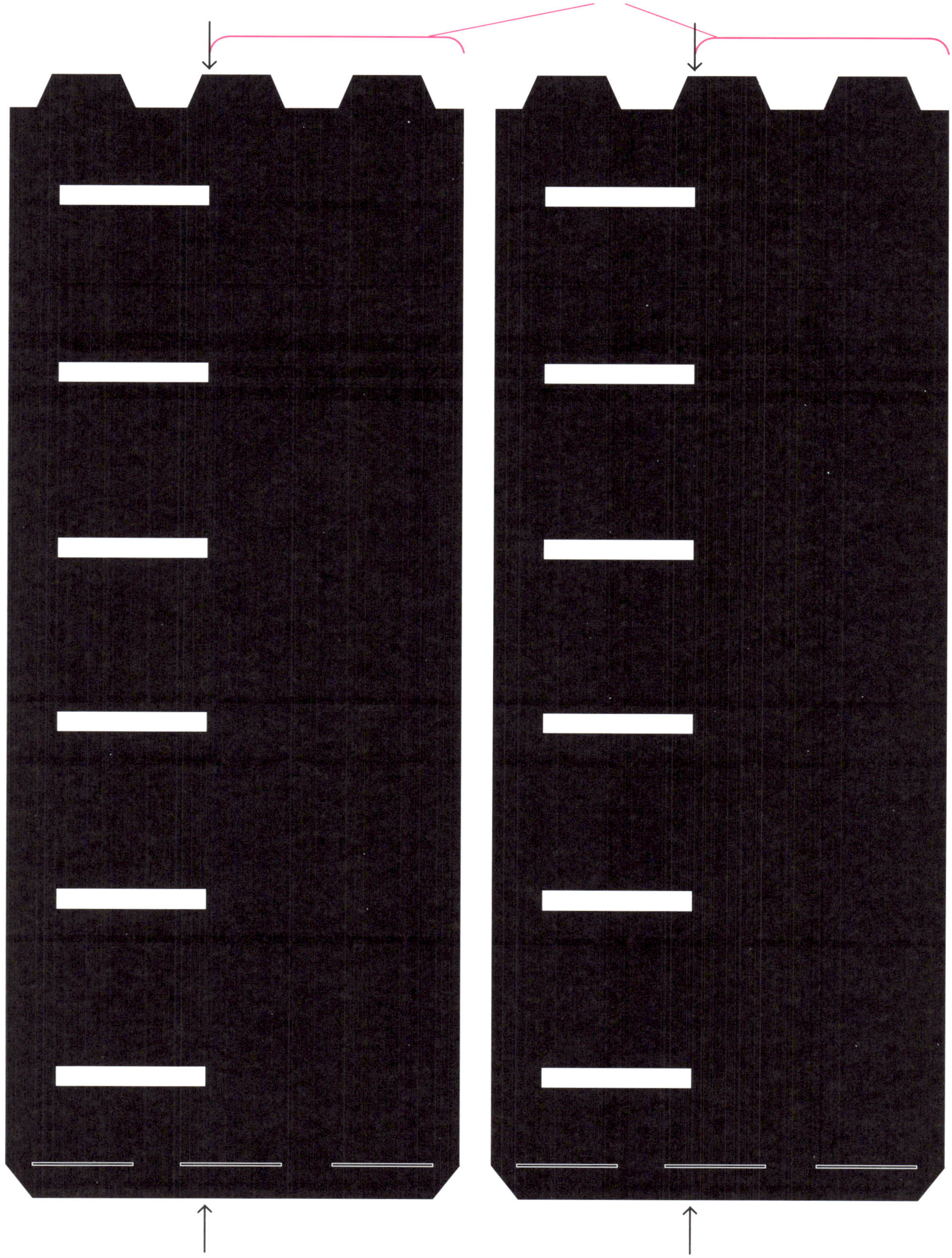

監修

大塚 康生（おおつか　やすお）

1931年生まれ。アニメーター・作画監督。日本初のカラー長編アニメーション映画『白蛇伝』（1958）で動画・原画、『少年猿飛佐助』（1959）・『わんぱく王子の大蛇退治』（1963）などで原画、『太陽の王子 ホルスの大冒険』（1968）で作画監督を務めた。テレビ『ムーミン』（1969）・『ルパン三世』（1971～72）・『未来少年コナン』（1978）、映画『ルパン三世 カリオストロの城』（1979）・『じゃりン子チエ』（1981）などで作画監督を歴任。50年以上にわたり制作スタジオや専門学校で後進の指導を担い、高畑勲、宮崎駿を筆頭に幾多の人材を育成した。おもな著書に『作画汗まみれ』（徳間書店、文春文庫）、『リトル・ニモの野望』（徳間書店）、『ジープが町にやってきた　終戦時14歳の画帖から』（平凡社）『大塚康生の機関車少年だったころ』（クラッセ）、『王と鳥 スタジオジブリの原点』（大月書店、高畑勲・叶精二らと共著）など。

編著

叶 精二（かのう　せいじ）

1965年生まれ。映像研究家。早稲田大学、亜細亜大学、大正大学、東京工学院アニメーション科講師。朝日新聞社「WEBRONZA」などに連載・寄稿多数。「高畑勲・宮崎駿作品研究所」代表。著書に『日本のアニメーションを築いた人々』（若草書房）、『宮崎駿全書』（フィルムアート社）『「アナと雪の女王」の光と影』（七つ森書館）、『王と鳥　スタジオジブリの原点』（大月書店、高畑勲・大塚康生らと共著）など。

漫画

田川 聡一（たがわ　そういち）

1974年生まれ。イラストレーター・挿絵画家。児童書から若者向けまで多彩な絵柄をこなす気鋭の画家。日本イラストレーター協会会員。『サティン・ローブ』（岩崎書店）、『鈴の音は魔法のはじまり』（ポプラ社）、『心にひびくお話　高学年』（学研）ほかのイラスト・挿絵を担当。

ゾートロープ画

わたなべさちよ（わたなべ　さちよ）

*24-27ページの「つくってあそぼうゾートロープ！」も担当

1975年生まれ。アニメーター、イラストレーター。おもなアニメーション作品に『からす かぞく編』、クレージーキャッツ＋Yuming『Still Crazy For You』（PV アニメーションディレクター）、『音のおもいで』（NHK ミニミニ映像大賞グランプリ受賞）、『雨の日は、何色？』みんなのうた『しあわせだいふく』など。マンガに『風招き森のクロ』、イラストに NHK ドラマ『四十九日のレシピ』、『ロボット魔法部はじめます』（あかね書房）ほか。

和田 敏克（わだ　としかつ）

*22-23ページの「ゾートロープをえがこう！」も担当

1966年生まれ。1996年より独自の切紙手法を用いたアニメーション制作を開始。NHK プチプチ・アニメ『ピップとバップ』がフランスのアヌシー等多数の国際アニメーション映画祭に入選、受賞したほか、荒井良二原作『スキマの国のポルタ』では文化庁メディア芸術祭アニメーション部門優秀賞を受賞。日本アニメーション協会常任理事。日本アニメーション学会事務局長。東京造形大学准教授。

大塚 康生（おおつか　やすお）

略歴は監修に記載

上掲図版、叶精二の似顔絵はわたなべさちよ画、他はそれぞれ本人による

画像スキャニング：朝比秀和

読者対象：小学校高学年・中学生～

マンガで探検！　アニメーションのひみつ 3
ゾートロープをつくろう

2017 年 7 月 20 日　第 1 刷発行

監修　大塚 康生
編著　叶 精二
漫画　田川 聡一
ゾートロープ画　わたなべさちよ　和田 敏克　大塚 康生

発行者　中川 進
発行所　株式会社　大月書店
〒113-0033　東京都文京区本郷 2-27-16
電話（代表）03-3813-4651　FAX 03-3813-4656 ／振替 00130-7-16387
http://www.otsukishoten.co.jp/

印刷　太平印刷社
製本　ブロケード

ISBN 978-4-272-61413-4　C8374　　Printed in Japan